Josef Ernst
Anfänge der Christologie

Stuttgarter Bibelstudien   57

herausgegeben von
Herbert Haag, Rudolf Kilian und Wilhelm Pesch

Josef Ernst

Anfänge der Christologie

KBW Verlag Stuttgart

ISBN 3-460-03571-4
© 1972 Verlag Katholisches Bibelwerk GmbH, Stuttgart
Lektorat: Josef Metzinger
Umschlag: Hans Burkardt
Gesamtherstellung: Buch- und Offsetdruckerei Georg Riederer, Stuttgart

Vorwort

Der Titel dieses Buches geht auf den gleichlautenden Vortrag vor der Theologischen Fakultät Paderborn bei der Übernahme des Rektorats im Studienjahr 1970/71 zurück.

Das Manuskript wurde für den Druck wesentlich erweitert und durch das Referat »The Significance of the Person of Jesus«, das ich anläßlich der ersten Sitzung der Studienkommission des Reformierten Weltbundes und des Sekretariates für die Einheit der Christen am 6. 4. 1970 in Rom gehalten habe, ergänzt.

Ich freue mich, die Ergebnisse dieser beiden Arbeiten nun in neuer Form vorlegen zu können.

Der damalige Direktor des Katholischen Bibelwerks Stuttgart, Prof. Dr. Otto Knoch, gab mir die Anregung zu dieser Veröffentlichung. Ihm, Herrn Kollegen Wilhelm Pesch als Herausgeber der »Stuttgarter Bibelstudien« und dem Verlag Katholisches Bibelwerk sei herzlich gedankt.

Paderborn, im April 1972   JOSEF ERNST

Inhalt

Einleitung

Die Frage der Jesusjünger: »Wer ist dieser, daß ihm sogar Wind und Wellen gehorchen?« (Mk 4,41) hat etwas Bohrendes an sich — damals am See Genesareth, als diese Männer zutiefst betroffen waren und über Jesus nachzudenken begonnen hatten. Das gleiche gilt auch für die Zeit der großen christologischen Auseinandersetzungen in der frühen Kirche, als man sogar auf den Marktplätzen über das ἦν ποτε, ὅτε οὐκ ἦν (Es gab eine Zeit, als er nicht war) des Arius diskutierte. Ja, eigentlich ist diese Frage nach Jesus nie ganz verstummt. Sie beschäftigte die großen Denker des Mittelalters genauso wie die liberalen Theologen des 19. Jahrhunderts, die das imponierende Unternehmen der »Leben-Jesu-Forschung« gestartet hatten. Heute machen wir die interessante Feststellung, daß bei wachsendem Schwund des theologischen Interesses in der breiten Öffentlichkeit die Gestalt Jesu nach wie vor fasziniert, und zwar keineswegs nur dort, wo hohe Theologie getrieben wird, sondern interessanterweise gerade in den Randgruppen, wie etwa neuerdings in der »Jesus-Bewegung« in Amerika, die trotz der ohne Zweifel recht eigenwilligen Formen einen erstaunlichen religiösen Aufbruch signalisiert. Grund genug also, daß wir diese Frage aufgreifen: Wer ist dieser Jesus?

Nun sind wir gewohnt, darauf mit Glaubensformeln der frühchristlichen Konzilien zu antworten. Das Chalcedonense sagt: »Wir bekennen einen und denselben Christus, den Sohn, den Herrn, den Einziggeborenen, der in zwei Naturen unvermischt, unverwandelt, ungetrennt und ungesondert besteht ... Wir bekennen nicht einen in zwei Personen getrennten und zerrissenen, sondern einen und denselben einziggeborenen Sohn, das göttliche Wort, den Herrn Jesus Christus«[1]. Diese Definition bildet in gewisser Weise den Abschluß einer langen theologischen Auseinandersetzung; sie ist das Ergebnis einer theologischen Reflexion, die von einem ganz bestimmten philosophischen Vorverständnis ausging und mit Hilfe von Denkkategorien, die vorwiegend der griechischen Philosophie entnommen sind, Antwort geben konnte auf die christologischen Fragen einer bestimmten Zeit.

---

[1] *Neuner - Roos*, **Glaube 158**.

Ich behaupte sicher nichts umwälzend Neues, wenn ich feststelle, daß eine andere Zeit, etwa die neutestamentliche Zeit, so nicht reden konnte. Wohl hat das Neue Testament, insbesondere die paulinische und die johanneische Theologie, die Voraussetzungen geschaffen für die christologischen Definitionen der späteren Konzilien; aber das darf nicht darüber hinwegtäuschen, daß es von Paulus und Johannes bis zum Chalcedonense doch noch ein weiter Weg war.[2]

Wir fragen nach den Anfängen der Christologie. Das bedeutet: Wir befragen das Neue Testament.

Was uns hier zunächst auffällt, das ist die Pluriformität des Bekenntnisses.[3] Jesus hat im Neuen Testament viele Namen, und die

---

[2] Über die geistesgeschichtlichen Linien, die von den Anfängen der Christologie bis zur Formel von Nizäa und Chalzedon führen, informiert *B. Welte* (Hrsg.), Zur Frühgeschichte der Christologie, Freiburg-Basel-Wien 1970.

[3] Die Pluriformität der neutestamentlichen Christologie ist ohne Zweifel ein Problem. Handelt es sich um gegensätzliche theologische Standpunkte, welche sich gegenseitig ausschließen (so etwa *E. Käsemann*, Begründet der neutestamentliche Kanon die Einheit der Kirche?, in: Exegetische Versuche I, 214-223. Neuerdings auch eine amerikanische Arbeit, die sich in der Grundthese offenkundig stark an Käsemann anlehnt und die Uneinigkeit und Gegensätzlichkeit der verschiedenen neutestamentlichen Theologien zum Prinzip erhebt; vgl. *Charlot*, New Testament Disunity 79-88. Hier wäre auch auf die These von W. Bauer hinzuweisen, in den Anfängen des Christentums sei keineswegs überall die kirchliche Lehre das Primäre gewesen, sondern die von der kirchlichen Orthodoxie als Häresie abqualifizierten Lehrmeinungen seien in zahlreichen Gebieten als ursprüngliche Repräsentanz des Christentums verstanden worden, vgl. *Bauer*, Rechtgläubigkeit und Ketzerei.), oder gibt es doch so etwas wie einen christologischen »Einheitsgrund«, der bei aller Differenziertheit der auf unterschiedlichen geschichtlichen Gegebenheiten, Kulturen und Denkweisen basierenden Bekenntnisse letzten Endes doch überall durchleuchtet und als das bleibend Gültige erkannt werden kann?

Gnilka hat sich mit dem Problem: Einheit und Vielheit der christologischen Bekenntnisse im ersten Kapitel seines Buches »Jesus Christus« auseinandergesetzt. Er erkennt in der Kanonbildung den immensen Willen zur Einheit. »Wenn wir die Schrift des Neuen Testaments zur Hand nehmen, sollten wir gelegentlich bedenken, wie hier verschiedene Weisen der Christusverkündigung und damit auch verschiedene Weisen

reiche Formelsprache mit ihren unterschiedlichen theologischen Tendenzen gibt Aufschluß über den lebendigen Christusglauben des Anfangs. Manches ist sozusagen »auf dem Wege« geschrieben, anderes läßt bereits die Entwicklung zum verbindlichen Credo erkennen. Aber nirgendwo gibt es Anzeichen von Erstarrung. Die Pluriformität ist Ausdruck der Vitalität.

Es kann keinesfalls unsere Aufgabe sein, die unterschiedlichen Ausformungen des frühesten Christusbekenntnisses in Formeln, Akklamationen, Doxologien, Hymnen und hohen Titeln im Detail nachzuzeichnen. Wir müssen uns vielmehr damit zufriedengeben, in groben Zügen die wichtigsten Typen darzustellen, um dann zum eigentlichen Kern unserer Frage zu kommen: Ist die nachösterliche, reich strukturierte Homologese der Anfang der Christologie, oder gibt es bereits Ursprünge, die vor Ostern liegen?

Es geht bei dieser Fragestellung nicht an erster Stelle um die Erhellung der Beziehungen zwischen der sogenannten »direkten und indirekten Christologie«, also um die Frage, warum die zur metaphysischen Erstarrung und ontologischen Isolierung neigenden homologischen Christusbekenntnisse mit innerer Notwendigkeit nach einer Explikation in den Evangelientraditionen verlangt haben;[4] unsere Frage zielt vielmehr darauf hin, ob es bereits vor

des Christusglaubens, sicherlich von einem ursprünglichen Einheitspunkt genährt, zu einer, wenn auch recht spannungsreichen, Einheit zurückgeführt wurden. Die Spannung ist heilsam und befruchtend, denn sie legt sich aus als Reichhaltigkeit verschiedener Christusbilder, die wir im Neuen Testament haben« (19).

Innerhalb des Neuen Testaments selbst kann schon dieses Spannungsfeld von Pluriformität und Einheit anhand der Evangelienbildungen, die letzten Endes trotz der Einheitstendenzen, die darin zum Ausdruck kommen, wieder unterschiedliche Positionen aufgebaut haben, beobachtet werden — ein Vorgang, der offenbar typisch ist für das geschichtliche Wachsen der theologischen Aussagen.

[4] »Den urkirchlichen Sätzen der christologischen Homologese gegenüber entstand und entsteht jedoch die Frage: *Bestehen diese Sätze über Jesus von Nazareth zu Recht?* Wie konnte diese, gewiß nicht belanglose Frage am besten beantwortet werden? Am besten, so muß man sagen, *durch Rekurs auf das Leben Jesu:* Jesus von Nazareth ist der Christus, der Herr, der Sohn Gottes usw., weil er ›eine neue Lehre mit Vollmacht‹ vorgetragen hat (vgl. Mk 1,27); weil ihm selbst Wind und

jedem durch Ostern bestimmten und entscheidend geprägten homologischen oder evangeliaren Christusbekenntnis Frühelemente gibt, die in der Person des historischen Jesus erkannt und aufgezeigt werden können. Gefragt wird also ein Zweifaches:

1. Gibt es grundsätzlich eine Möglichkeit, den österlichen Graben zu überwinden und gesicherte Aussagen über Jesus zu machen?

2. Gibt es in diesem gesicherten Jesusbild Züge, die christologisch offen sind, also darauf angelegt sind, im Ostergeschehen ihre Bestimmung und Erfüllung zu finden?

Meer gehorchen (vgl. Mk 4,41); weil er von den Toten auferstanden ist usf. Man kann also sagen: In der Urkirche sind deshalb Evangelien, evangelische Jesusviten geschrieben worden, weil mit ihrer Hilfe die Sätze der christologischen Homologese am besten verifiziert werden konnten. Die Evangelien zeigen, daß die homologischen Sätze über Jesus von Nazareth zu Recht bestehen.« *Mußner*, Christologische Homologese und evangelische Vita Jesu, in: *Welte*, Christologie 59-73, bes. 60. Zu beachten ist der Hinweis Mußners, daß die Titel und homologischen Prädikationen der nachösterlichen Christologie inhaltlich an die Vita Jesu gebunden sind. Auf diese Weise wird die Gefahr der Enthistorisierung des Bekenntnisses gebannt. Es werden aber auch dem homologischen Bekenntnis bestimmte sachliche Grenzen gesetzt. »Wesen und Funktion Jesu selbst führten in der nachträglichen Reflexion dazu, ihm diese und gerade diese Würdenamen in der Homologese zu geben« (69). Die Pluriformität der Namen Jesu wird also durch einen ganz eindeutigen »Sachzwang« eingegrenzt. Das hat sicher auch Konsequenzen für manche moderne Bestrebungen, »nach neuen Ausdrucksformen für die Verstehensmöglichkeiten der jeweils angesprochenen Menschen zu suchen« (*Schnackenburg - Schierse*, Jesus 45).

A) Die nachösterliche Christologie

Die Schwierigkeiten einer nachösterlichen Christologie werden bereits bei der Frage nach der geeigneten Methode sichtbar. Da sich das Bekenntnis von Anfang an in bestimmten hohen Titeln aussprach, lag es nahe, von den einzelnen Würdenamen auszugehen und auf analytischem Wege den jeweiligen Bekenntnishintergrund zu erhellen.[1] Heute bevorzugt man mehr den umgekehrten Weg. Da jeder Titel in eine oder auch in mehrere Überlieferungsschichten eingebettet ist, empfiehlt es sich, diesen breiteren »Verständnishorizont« zu untersuchen und erst dann nach dem Verkündigungswert der hohen Namen zu fragen.[2]

Beide Methoden haben ihre Vor- und Nachteile. Eine systematische Titelchristologie neigt zur Abstraktion und kann allzuleicht zu einer »überzeitlichen« ungeschichtlichen Erstarrung führen. Wenn das entscheidende soteriologische »für uns« vergessen ist und statt dessen nur noch *»Soterologie«* vorgetragen wird, ist die Versuchung des Mythos nicht mehr weit. Eine dem geschichtlichen Entstehungs- und Wachstumsprozeß nachgehende Christologie ist auf der anderen Seite ständig in Gefahr, unter dem Einfluß eines religionsgeschichtlich bedingten »Analogiezwangs« das immer schon Vorgegebene und objektiv Gültige zu relativieren.

Das Werk von R. Schnackenburg[3] und die bereits erwähnte Arbeit von J. Gnilka[4] wollen beide Gesichtspunkte berücksichtigen. Ihr Anliegen ist die Auffächerung der zeitlich bis auf Nizäa zurückreichenden und sachlich in der abendländischen Metaphysik begründeten »geschlossenen Christologie«[5] und gleichzeitig die Sammlung und Konzentration der verschiedenen frühchristlichen

---

[1] Vgl. *Cullmann*, Christologie; *Hahn*, Hoheitstitel.

[2] *Kramer*, Christos 9 möchte »in erster Linie durch literatur-, traditions- und ›themen‹-kritische Analyse Vorkommen und Haftpunkte der christologischen Bezeichnungen innerhalb der Schichten nt.licher Überlieferung« herausarbeiten. *Taylor*, Names of Jesus 173 nennt die Titel »The signs and seals of the earliest Christology«.

[3] Christologie 227-388.

[4] Jesus Christus 11-26.

[5] *Welte*, Die Lehrformel von Nikaia, in: Frühgeschichte der Christologie 100-117.

Bekenntnisformen in dem österlichen Ursprung und Einheitsgrund. Dabei ist das wichtigste Problem jeder nachösterlichen Christologie noch gar nicht berücksichtigt, das in der Frage nach der Kontinuität oder auch Diskontinuität zwischen dem historischen Jesus und dem in der Verkündigung der Gemeinde anwesenden erhöhten Christus enthalten ist.

Wenn im folgenden die verschiedenen Typen des frühen Christusglaubens dargestellt werden, dann darf nicht übersehen werden, daß das eigentliche Interesse den vorösterlichen Ursprüngen gilt. Titel, Formeln und Bekenntnisse interessieren nicht »an sich«, sondern nur in ihrem Bezug auf Jesus.

I. DIE HOHEITSTITEL

Der englische Gelehrte V. Taylor zeigt in seiner Untersuchung »The Names of Jesus« auf, daß das Neue Testament für den irdischen Jesus und den auferstandenen Christus etwa 50 verschiedene Namen und Bezeichnungen kennt. Der Christus-Titel kommt mit ungefähr 500 Stellen am häufigsten vor. Für den »Kyrios« gibt es 350 Belege, für den »Menschensohn« 80, für den »Sohn Gottes« ungefähr 75 und für den »Sohn Davids« etwa 20.

Eine solche numerisch-statistische Zusammenstellung sagt natürlich kaum etwas über die theologische Bedeutung und gibt nur bedingt Aufschluß über den »Bekenntnisstand«, der hinter den einzelnen Titeln liegt. Manche Namen sind bereits in einem solchen Maße abgegriffen, daß ein besonderer Anspruch aus ihnen allein nicht abgeleitet werden kann.

Trotzdem hat auch eine tabellarische Übersicht ihren Nutzen. Ein hohes Stellenvorkommen eröffnet vor allem die Möglichkeit des Vergleichs. Aus Übereinstimmungen oder Motivverwandtschaften läßt sich unter Umständen ein Kriterium für den »inneren Sitz im Leben« ableiten. So stellt W. Kramer[1] fest, daß die Bezeichnung »Jesus Christus« zur vorpaulinischen Pistis-Formel, der »Sohn Gottes« zur Adoptions- bzw. Sendungsformel und der »Kyrios« zur frühchristlichen Homologese gehören.

---

[1] Christos 22.62f.116.

W. Foerster[2] glaubt eine Affinität bestimmter Titel zu den theologischen Inhalten beobachten zu können. Während die Leidens- und Auferstehungstexte die Namen »Jesus« und »Christus« bevorzugen, verwenden die Zukunfts- und Erhöhungsaussagen und gelegentlich auch die auf die vorösterliche Situation bezugnehmenden Erzählungen den Titel »Kyrios«.

Natürlich kann man gegen solche Beobachtungen einwenden, ihre Ergebnisse seien zu unpräzise, zumal sehr häufig Titelkombinationen, wie etwa »Jesus-Christus«, Themenüberschneidungen wahrscheinlich machen. Das ändert jedoch nichts an dem grundsätzlichen Wert solcher »Hintergrunderhellungen«. Eine absolut zufriedenstellende Methode gibt es nicht. Wenn im folgenden von den Titeln ausgegangen wird, muß der »Stellenwert« solcher Bezeichnungen im Gemeindebekenntnis und die Vorgeschichte immer mitberücksichtigt werden. Die Gefahr einer unzulässigen Systematisierung kann nur dann gebannt werden, wenn die einzelnen Titel aus dem Gesamtrahmen heraus verstanden werden.

1. KYRIOS

Der Kyrios-Name ist für die inhaltliche Bestimmung der neutestamentlichen Christologie von größter Bedeutung. Trotz der formelhaften Verwendung und titularen Starrheit ist es möglich, mit seiner Hilfe gewisse Entwicklungslinien des christologischen Bekenntnisses nachzuzeichnen.

Seit W. Bousset[3] galt es für lange Zeit als ausgemacht, daß die Verwendung des Kyriostitels mit der Verdrängung der im Judenchristentum beheimateten Endzeiterwartungen durch die Erhöhungsvorstellungen der heidenchristlichen Gemeinden zusammenhänge. Die Übertragung des Titels auf Jesus habe sich aus den Erfahrungen der gottesdienstlichen Zusammenkünfte ergeben, in denen nach dem Modell der heidnisch-orientalischen Mysterienkulte Jesus als der Kyrios angerufen wurde. »Denn hier in den

---

[2] *W. Foerster*, Herr ist Jesus. Herkunft und Bedeutung des urchristlichen Kyriosbekenntnisses, in: Neutest. Forschungen II, 1, Gütersloh 1924, 237-263.

[3] Kyrios Christos 90-101.

Versammlungen der Gemeinschaft, in Gottesdienst und Kult erwuchs den Christgläubigen das Bewußtsein ihrer Einheit und einzigartigen soziologischen Geschlossenheit. Tags über zerstreut, im Beruf des alltäglichen Lebens, in der Vereinzelung, innerhalb einer fremden Welt dem Spott und der Verachtung anheimgegeben, sammelten sie sich des abends, wohl so oft wie möglich, zur gemeinsamen heiligen Weihemahlzeit. Da erlebten sie die Wunder der Gemeinschaft, die Glut der Begeisterung eines gemeinsamen Glaubens und einer gemeinsamen Hoffnung; da flammte der Geist auf, und umgab sie eine Welt voller Wunder; Propheten und Zungenredner, Visionäre und Ekstatiker beginnen zu reden, Psalmen, Hymnen und vom Geist eingegebene Lieder durchtönen den Raum, die Kräfte brüderlicher Mildtätigkeit werden in ungeahnter Weise wach; ein unerhört neues Leben durchpulst die Schar der Christen. Und über diesem ganzen Gewoge der Begeisterung thront der Herr Jesus als das Haupt seiner Gemeinde, mit seiner Kraft in einer den Atem raubenden Greifbarkeit und Gewißheit unmittelbar gegenwärtig.«[4] Vor einem solchen Erfahrungshintergrund sei die Proklamation des Philipperhymnus verständlich: »Deshalb hat ihn Gott auch so sehr erhöht und ihm den Namen gegeben, der über alle Namen, damit im Namen Jesu jedes Knie sich beuge, der Himmlischen und Irdischen und Unterirdischen und jede Zunge bekenne: Herr (ist) Jesus Christus« (Phil 2,9-11a). Aus dem zukünftigen Messias Jesus sei der als Herr in seiner Gemeinde gegenwärtige Kultgott geworden. R. Bultmann möchte zwar das Moment des Kultischen für die heidenchristlichen Gemeinden von dem alles beherrschenden Wort der Predigt her vergeistigt sehen; demzufolge sei die Präsenz des Gottes an das verlesene Wort der Schrift gebunden und frei von rituellen Handlungen, aber das ändert nichts an der Tatsache, daß der Gottesdienst jener Ort ist, an dem Jesus Christus nicht nur als eschatologischer Retter, sondern vor allem als kultisch verehrter »Kyrios« erfahren wurde. »An Stelle der aussterbenden Titel ›Menschensohn‹ und ›Christus‹ (= messianischer König) tritt in den hellenistischen Gemeinden der Titel κύριος«.[5]

---

[4] *Bousset*, aaO. 89.
[5] *Bultmann*, Theologie 127.

O. Cullmann[6] hat auf einen weiteren Ursprung des Titels hingewiesen, der aller Wahrscheinlichkeit nach etwas mit dem aktuellen Bekenntnis der christlichen Gemeinde in ihrer Umwelt zu tun hat. Er erinnert an die Verfolgungssituation, in welcher der Widerstand gegen den Kaiserkult dem Bekenntnis zu dem einen und wahren Kyrios Jesus sicher ein besonderes Gewicht gegeben hat. Zur Begründung wird das rätselhafte Wort 1 Kor 12,3 angeführt: »Daher tue ich euch kund, daß niemand, der im Geiste Gottes redet, sagt: verflucht ist Jesus, und daß niemand sagen kann: Herr ist Jesus, außer im heiligen Geiste«. Das müsse als Hinweis auf ein Jesuswort verstanden werden, in dem den Jüngern der besondere Beistand des Geistes in der Verfolgung zugesagt wird (vgl. Mt 10,17ff). Vor diesem Hintergrund habe das Bekenntnis »Kyrios Jesus« eine besondere Aktualität erhalten.[7]

Die Richtigkeit einer solchen Vermutung hängt weitgehend ab von dem Nachweis einer konkreten und umfassenden Verfolgungssituation zur Entstehungszeit des ersten Korintherbriefs. Die von Cullmann angeführten Belege stammen aus dem 2. Jahrhundert und haben für den in Frage stehenden Zeitabschnitt nur geringe Beweiskraft.

Die Einseitigkeiten der aus dem hellenistischen Bereich abgeleiteten Erhöhungschristologie konnten nicht ohne Widerspruch bleiben. Den Anstoß dafür bot die Anrufung »Maranatha«, die sich zwar nur an einer Stelle des Neuen Testaments findet, und dazu noch in einem Paulusbrief (1 Kor 16,22), dessen geistig-kultureller Rahmen ganz eindeutig die Welt des Hellenismus ist. Aber die aramäische Fassung des Gebetsrufs ist doch auffällig. Für die sprachliche Deutung ergeben sich zwei Möglichkeiten: neben der imperativischen Übersetzung «Unser Herr möge kommen« kann man den Ruf auch im Sinne einer Feststellung verstehen: »Unser Herr ist gekommen«. Man entscheidet sich für gewöhnlich für die imperativische Form, welche die Möglichkeit gibt, einen alternativen Typ der frühen Christologie herauszuarbeiten: die Gemeinde, die so spricht, versteht sich als das

---

[6] Christologie 222.
[7] Vgl. *Cullmann*, Christologie 225-272.

eschatologische Gottesvolk. Sie wartet auf den kommenden Herrn. Eine so verstandene judenchristlich-apokalyptische Christologie stände der heidenchristlichen Erhöhungschristologie gegenüber, welche ihr Augenmerk auf den im Kult anwesenden Herrn richtet und ihn in der Akklamation und Proklamation feiert.[8]

Gegen eine solche Typisierung müssen Zweifel angemeldet werden. Der Ruf »Maranatha« stammt zwar aus dem aramäischen Bereich, aber er ist von Paulus überliefert. Der von der Zukunft erwartete Herr wird bei Paulus als der gegenwärtige Kyrios erfahren. Seine Gegenwart wird allerdings im Unterschied zu den hellenistischen Kultmysterien durch das Pneuma vermittelt[9] (2 Kor 3,17: »Der Herr ist Pneuma«).

Eine weitere Quelle für den neutestamentlichen Kyriostitel wird von manchen Forschern hinter der Gottesanrede der Septuaginta

---

[8] Vgl. *Hahn*, Hoheitstitel 112: »Der Wiedererwartete (wird) von der Gemeinde im Gottesdienst mit ›unser Herr‹ angerufen, wie besonders der aus ältester palästinensischer Überlieferung stammende Gebetsruf ›Maranatha‹ zeigt. Dieser hat seinen festen Platz in der Abendmahlsliturgie und wird dort bisweilen durch einen eschatologischen Ausblick ersetzt. ›Maranatha‹ kann daher nur imperativisch verstanden werden, die philologisch mögliche Deutung als Perfectum oder Perfectum praesens scheidet aus. Außerdem ist die imperativische Form streng eschatologisch zu interpretieren und nicht als Bitte um das Kommen Jesu bei der Mahlfeier. Die älteste Gemeinde lebt nicht in einer erfüllten Zeit, sondern harrt auf das endzeitliche Kommen ihres Herrn. Wohl ist ihr der Geist als Angeld der Endzeit gegeben und sie vermag die endzeitliche Vollendung schon in einem gewissen Grade zu antizipieren, aber sie kennt noch nicht die Vorstellung von der Erhöhung und der gegenwärtigen Wirksamkeit Jesu.«

[9] Vgl. *Thüsing*, Erhöhungsvorstellung 148f. Vgl. auch die Stellungnahme *Cullmanns* (Christologie 221) gegen W. Bousset und R. Bultmann, die man entsprechend auf die Position von F. Hahn anwenden kann: »In Wirklichkeit bildet ›Maranatha‹ den Übergang vom palästinensischen zum hellenistischen Glauben an Christus den Herrn. Die Behauptung BOUSSETS und BULTMANNS, es bestehe hier ein völliger Bruch zwischen der palästinensischen Urgemeinde und dem hellenistischen Christentum, ist eine bloße Konstruktion, die weder den aus der Urgemeinde überlieferten Elementen gerecht wird, noch die Entstehung des hellenistischen Glaubens an den Kyrios Christos erklären kann.«

vermutet. Die christliche Gemeinde habe bewußt für Jesus den gleichen Titel gewählt, der im griechischen Alten Testament für Jahwe, den Bundesgott, verwendet werde. Auf indirekte Weise sei so für Jesus der Gottesanspruch erhoben worden. J. Gnilka[10] ist der Auffassung, daß mit dem Kyriosnamen der Septuaginta »ein eminent wichtiger Faktor für das Zustandekommen des Kyriosbekenntnisses der christlichen Gemeinde in den Blick gekommen« sei. Dieser Ansicht steht allerdings die auf R. Bultmann[11] zurückgehende und von H. Conzelmann[12] übernommene Auffassung gegenüber, der Kyrios-Titel dürfe keinesfalls aus dem Jahwe-Namen der Septuaginta abgeleitet werden. Es sei auffallend, daß sich die Übersetzung mit »Kyrios« zwar in den christlichen Handschriften nachweisen lasse, nicht aber in den jüdischen Belegen. Außerdem dürfe nicht übersehen werden, daß gerade Paulus mit Hilfe dieses Titels eben nicht die Identität Jesu mit Gott behaupten wolle, sondern eher die Verschiedenheit (vgl 1 Kor 8,6). Der Weg könne also genausogut umgekehrt verlaufen sein: Nachdem der Titel einmal in Gebrauch war, wurde er nachträglich in die Septuaginta von christlicher Hand eingetragen.[13]

Wir können uns mit den sehr subtilen Detailfragen nicht befassen. Unser Überblick soll nur verdeutlichen, daß es nicht möglich ist,

---

[10] Jesus Christus 88.

[11] Theologie 127: »Daß der κύριος-Titel in seiner Anwendung auf Jesus aus der LXX stammt, in der er die übliche Wiedergabe von יהוה ist, ist höchst unwahrscheinlich. Umgekehrt ermöglichte die Bezeichnung Jesu als des κύριος, daß κύριος-Aussagen der LXX auf ihn übertragen wurden. Aber allerdings gewann nun durch diesen Vorgang die κύριος-Gestalt Jesu an Gehalt und Gewicht (vgl. z.B. die Beziehung von Jes 45,23 auf Christus Phl 2,11; von Jes 40,13: 1. Kr 2,16; von Jer 9,22f: 2. Kr 10,17; von Ex 34,34: 2. Kr 3,16).«

[12] Grundriß 102.

[13] *Kl. Berger*, Zum traditionsgeschichtlichen Hintergrund christologischer Hoheitstitel, NTS 17 (1971) 391-425, glaubt nachweisen zu können, daß weder der hellenistische Kyrioskult noch die aramäische Mari-Anrede als Ursprung für den Titel in Frage kommen. Er nimmt an, daß es sich bei dem Kyrios-Titel Jesu »um eine in jüdischer Tradition begründete Übertragung des in der hell. Synagoge gebräuchlichen Gottesnamens auf den göttlichen Boten handelt« (422).

mit letzter Genauigkeit die Ursprünge eines Titels zu fixieren. Wie immer die Entwicklungen auch verlaufen sind und welche Faktoren den Werdegang eines christologischen Bekenntnisses bestimmt haben mögen, in jedem Fall ist der österliche Glaube die Ausgangsbasis. Die Gemeinde ist fest davon überzeugt, daß Jesus der Erhöhte und der Wiederkommende ist. Sie schaut darum zu ihm auf und wartet auf ihn. Beides geschieht auf eine sehr intensive Weise in der eucharistischen Feier, für die sie den Namen »Herrenmahl« bereithält. Daß von hier aus die Übertragung des hohen Titels auf den vorösterlichen Jesus nahelag, ist einsichtig.

Theoretisch ist es möglich, wenngleich unwahrscheinlich, daß die »Herr-Anrede« in den synoptischen Evangelien auf den aramäischen «Mar-Titel» zurückzuführen ist, der bereits vorösterlich im Sinne einer konventionell-respektvollen Höflichkeitsbezeichnung auf Jesus angewendet wurde und in der nachösterlichen judenchristlichen Gemeinde eine christologische Überhöhung erhalten hat. F. Hahn[14], der diese Auffassung vertritt, beruft sich auf die analoge Entwicklung der Lehrer-Anrede, die an einigen Stellen in der ursprünglichen aramäischen Form »Rabbi« bzw. »Rabbuni« erhalten geblieben ist, an anderen dagegen mit διδάσκαλος bzw. ἐπιστάτης übersetzt wurde und Mt 23,8 sogar ausschließlich für Jesus mit einem ganz eindeutigen spezifisch christologischen Anspruch reserviert worden ist. Ganz ähnlich könne, so nimmt Hahn an, die Entwicklung des Kyrios-Titels verlaufen sein. Aus der unreflektierten Anrede mit »Mari«, die viel-

---

[14] aaO. 81f: »Es geht um einen ursprünglich profanen Sprachgebrauch, dem erst allmählich eine besondere christologische Bedeutung aufgeprägt wurde und der von der Herrenbezeichnung Gottes daher zunächst grundsätzlich unterschieden blieb.« Belege für diese These: Mk 7,28; Mt 8,(6)8/Lk 7,6; Mt 8,19-22/Lk 9,57-62. Kritisch äußert sich zu dieser Auffassung *Schnackenburg*, Christologie 253f: »Es rächt sich, wenn man das Auferstehungsereignis als Quelle des christologischen Glaubens nicht ernst nimmt. Auch die älteste Gemeinde hat nach Ostern nicht mehr einfach an den irdischen Jesus gedacht, sondern an den nach der Kreuzigung *Auferweckten*, der nun ihr ›Herr‹ ist und den sie aufgrund der Auferstehung erwartet.« Vgl. auch *Ph. Vielhauer*, Zur Frage der christologischen Hoheitstitel: ThLZ 90 (1965) 569-588.

leicht sogar mit »Rabbi« ausgetauscht werden konnte, sei im Verlaufe eines längeren Entwicklungsprozesses der Kyrios-Titel mit dem hohen Anspruch hervorgewachsen.

Diese Erklärung bleibt weitgehend hypothetisch. Ihre offenkundige Schwäche ist in der Tatsache zu sehen, daß im Unterschied zu Rabbi-διδάσκαλος die aramäische Form »Mari« mit Ausnahme des Maranatha-Rufs von 1 Kor 16,22 im Neuen Testament nirgendwo erhalten geblieben ist. Richtig ist dagegen die abschließende Feststellung von Hahn, daß die Übertragung des Kyrios-Titels ihre sachliche Begründung »in der Einzigartigkeit des Auftretens und Anspruchs Jesu« findet.[15]

Wir können abschließend feststellen: Der Kyriostitel zeigt in seinem Erscheinungsbild und in seiner Vorgeschichte die Vielfalt und Differenziertheit des christologischen Bekenntnisses. Die entscheidenden Einflüsse für seine Entstehung sind freilich weniger in den verschiedenen Bereichen der Religionsgeschichte zu suchen, sondern an erster Stelle in der Grundüberzeugung, daß Jesus, der Gekreuzigte, jetzt der Lebendige ist. Unsere Frage zielt freilich darauf, ob ein solcher Glaube und ein solches Wissen auch schon vorösterlich nachgewiesen werden kann. Hier hilft uns die Geschichte des Kyrios-Titels nicht sehr viel weiter.

2. SOHN GOTTES

Der neutestamentliche »Sohn-Gottes-Titel« hat eine weitreichende Vor- und Nachgeschichte. Die christologischen Definitionen der frühkirchlichen Konzilien konnten an das Johannesevangelium anknüpfen und mit Hilfe des absoluten Titels »Der Sohn« Wesensaussagen machen.[16] Dabei darf aber nicht übersehen werden, daß erst in einer verhältnismäßig späten Phase der neutestamentlichen Reflexion die Ansätze für ein solches Denken greifbar werden.

---

[15] aaO. 91.

[16] »Wir glauben ... an den einen Herrn Jesus Christus, den Sohn Gottes, als Einziggeborener gezeugt vom Vater, das heißt aus der Wesenheit des Vaters, Gott von Gott, Licht vom Lichte, wahrer Gott vom wahren Gott, gezeugt, nicht geschaffen, wesenseins mit dem Vater.« (Das Glaubensbekenntnis der Kirchenversammlung von Nizäa. Vgl. *Neuner-Roos*, Glaube 416.)

Die Gottessohn-Prädikation der ältesten judenchristlichen Gemeinde läßt eine andere Akzentsetzung erkennen. Sie möchte eine hohe Stellung Christi beschreiben und greift zu diesem Zwecke auf den alttestamentlich-jüdischen Gedanken der Erwählung zurück. Ob die Ursprünge im Bereich der königlichen Messianologie[17], in den messianischen Hohenpriestererwartungen[18], im Menschensohntitel[19] oder in den Gottesknechtvorstellungen[20] zu suchen sind, muß hier nicht entschieden werden. Es verdient nur Beachtung, daß das älteste urchristliche Bekenntnis an das im Alten Testament vorgegebene Stichwort »Einsetzung« angeknüpft hat.[21]

Die methodisch richtige und notwendige Unterscheidung zwischen judenchristlicher Einsetzungschristologie und heidenchristlicher Wesenschristologie darf nicht zu dem Mißverständnis verleiten, als ließen sich die beiden Typen auch traditionsgeschichtlich scharf voneinander abheben. Der im Judenchristentum bevorzugte Titel »Sohn Gottes« sagt nicht nur etwas über eine hohe Stellung, er beschreibt auch »die Einzigartigkeit und Einmaligkeit der Beziehung Jesu zu seinem Vater«[22]. Der dem Heidenchristentum zugesprochene Titel »Der Sohn« ist zwar für eine »essentiale Betrachtung offen«[23], aber der Hintergrund ist immer soteriologisch-funktional. Es handelt sich um unterschiedliche, aber keinesfalls völlig voneinander verschiedene Ausdrucksweisen des Bekenntnisses. Die entscheidende »Glaubensschwelle« liegt nicht, wie R. Bult-

---

[17] Vgl. *Weiss*, Urchristentum 85f. *Stauffer*, Theologie 93f.

[18] Vgl. *W. Grundmann*, Sohn Gottes. Ein Diskussionsbeitrag: ZNW 47 (1956) 113-133.

[19] Vgl. *Mowinckel*, He That Cometh 293f; 366ff.

[20] Vgl. *Bousset*, Kyrios Christos 56f; *Cullmann*, Christologie 65.

[21] Vgl. *Cullmann*, aaO. 279f: »Dem entspricht genau die Art und Weise, wie auch der *König*, der Repräsentant des erwählten Volkes, von Gott als ›Sohn‹ angesprochen wird: ›Du bist mein Sohn, heute habe ich dich gezeugt‹ (Ps 2,7; eine Stelle aus dem von den Christen gern zitierten Königspsalm); oder: ›Er (sc. der König) wird mich anrufen: mein Vater bist du, mein Gott und der Fels meines Heils‹ (Ps 89,27). Auch der König ist ›Sohn‹ als der besonders von Gott Erwählte und Beauftragte«.

[22] *Cullmann*, Christologie 282.

[23] *Schnackenburg*, Christologie 344.

mann[24] annimmt, an der Stelle, wo die christliche Predigt in den hellenistischen Kulturraum vorstieß und dort im Mythos vom »göttlichen Menschen« die geistesgeschichtlichen Voraussetzungen für den Glauben an den Sohn Gottes vorfand, sondern in der frühesten Begegnung der Jünger mit dem Auferstandenen.[25] Die Grundüberzeugung, daß Gott seinen Sohn Jesus Christus von den Toten auferweckt hat, ist die verbindende Klammer zwischen den beiden Bekenntnisstufen.

Die »Einsetzung« zum Sohn Gottes

a) Nach Lk 1,32f (»Dieser wird groß sein und *Sohn des Höchsten* genannt werden, und Gott der Herr wird ihm den Thron Davids, seines Vaters, geben, und er wird König sein über das Haus Jakob in Ewigkeit, und seine Königsherrschaft wird kein Ende haben«) ist Jesus der Nachkomme des David, der eine Königsherrschaft »ohne Ende« übernimmt; als solchem kommt ihm die Sohn-Würde zu. Die Sohnschaft des Davidsnachkommen wird von 2 Sam 7,14 her beleuchtet, wo Gott selbst sagt: »Ich will ihm Vater sein, und er soll mir Sohn sein«.

Der jüdische Hintergrund macht deutlich, daß hier der Gedanke einer »Einsetzung« vorliegt. Inwieweit die eschatologische Sohnschaft der jüdischen Erwartungen in dem christlichen Text auf die Geburt Jesu bezogen worden ist, ist schwer zu sagen. Das Bild vom Thron Davids ist zwar eindeutig zukunftsorientiert, aber das christliche Bewußtsein des »Schon jetzt«, das ja auch für die Tradition der lukanischen Kindheitsgeschichte angenommen werden muß, legt die Vermutung nahe, daß die »Einsetzung« zum Sohn Gottes identisch ist mit dem »Heute habe ich dich gezeugt« (Ps 2,7). Beides ist geschichtlich realisiert in der Geburt Jesu.

---

[24] Christologie 53: »Klar aber ist, daß dieser Titel weder im Judentum noch in der christlichen Gemeinde den mythologischen Sinn haben konnte wie später im hellenistischen Christentum, daß er also nicht den Messias als ein von Gott erzeugtes supranaturales Wesen bezeichnete, sondern einfach eine Königstitulatur war«.

[25] Vgl. *Schürmann*, Logientradition 41: »Mag zwischen der hellenistischen und der palästinensischen Gemeinde ein tiefer *Graben* liegen — viel bedeutender ist die tiefe *Kluft* zwischen den nachösterlichen und der vorösterlichen Jüngergemeinde, zwischen der Urgemeinde und Jesus«.

b) Eine weitere Kombination von Davidssohn und Gottessohn findet sich Röm 1,3f (»geboren aus dem Samen Davids nach dem Fleisch, eingesetzt als Sohn Gottes in Macht nach dem Geist der Heiligung aus der Auferstehung aus Toten«). Es handelt sich hier um eine sehr alte Formel[26], die von Paulus aller Voraussicht nach aus dem urchristlichen Bekenntnis übernommen worden ist. Die Davidssohn-Aussage — hier höchstwahrscheinlich weniger titular als vielmehr genealogisch zu verstehen — wird überboten durch die Gottessohnwürde. Diese wird begründet und verankert in der Auferstehung aus Toten. Ohne Zweifel ist dies der eigentliche und entscheidende Denk- und Bekenntnisansatz der frühesten christlichen Theologie. Man wird darum das »aus der Auferstehung« weniger im Sinne eines biographischen Termins, als vielmehr im Sinne einer umfassenden theologischen Begründung zu verstehen haben. Immerhin bleibt auffällig, daß auch hier noch in den herkömmlichen Kategorien von »Einsetzung« gedacht wird. Spuren der gleichen Vorstellung finden sich auch in der Apostelgeschichte, wo davon die Rede ist, daß Gott Jesus zum »Herrn und Gesalbten *gemacht* hat« (Apg 2,36).

c) In der Taufperikope der Logienquelle (Mt 3,13-17/Lk 3,21-22; Mk 1,9-11) und in der unmittelbar daran anschließenden Versuchungsperikope (Mt 4,1-11/Lk 4,1-13) wird ein dritter heilsgeschichtlicher Ansatz für die »Einsetzung« zum Sohn Gottes greifbar. Die Himmelsstimme bei der Taufe bezeichnet Jesus mit den Worten von Ps 2,7 als den Sohn, den Gott heute gezeugt hat (Lk 3,22). Mt und Mk sprechen statt dessen von dem »geliebten Sohn«, an dem Gott sein Wohlgefallen hat (Mt 3,17 = Mk 1,11). Es kann nicht übersehen werden, daß nach den Vorstellungen der frühen Christengemeinde die »Einsetzung« zum Sohn Gottes mit dem »Anfang« der öffentlichen Tätigkeit Jesu in Beziehung gebracht wird. Eine historisch-biographische Fixierung ist auch hier nicht beabsichtigt. Man wird sich den Werdegang der »Sohn-Gottes-Prädikation« vielmehr so vorstellen müssen, daß zunächst das Auferstehungsgeschehen der theologische Ausgangspunkt gewesen

---

[26] Nach *Kuss*, Römerbrief 8 lautete die vorpaulinische Formel etwa: »Jesus Christus, der Sohn Gottes, geboren aus dem Samen Davids, eingesetzt als Sohn Gottes in Macht seit der Auferstehung der Toten«.

ist und als solcher immer verstanden wurde. Im Zuge einer Rückbesinnung und Einbeziehung der Vita Jesu wurde dann auch die
ganze Tätigkeit Jesu unter dieses Prädikat und unter seinen Anspruch gestellt. So lag es nahe, bis zur Taufe Jesu, die Anfang der
öffentlichen Tätigkeit ist, zurückzugehen, und von dort aus, in
dem Maße, wie man die Kindheit einbezog, auch auf den Anfang
des irdischen Lebens in der Geburt zurückzublicken.

»Der Sohn«

Die Ansätze einer ontologischen Wesensaussage werden in den
Texten greifbar, die nicht mehr vom »Sohn Gottes« messianolo-
gisch sprechen, sondern den »Sohn«-Titel im absoluten Sinne ge-
brauchen. Eine klassische, für das Jesusbild der Logienquelle typische Stelle, ist der sogenannte »messianische Jubelruf« (Mt 11,
25-27/Lk 10,21f). Der Satz läßt sich in zwei Teile aufgliedern:

a) V. 25.26: »Ich preise dich, Vater, Herr des Himmels und der
   Erde, daß du dieses vor den Weisen und Verständigen verborgen hast, und es offenbart hast den Toren. Ja Vater, so war
   es wohlgefällig vor dir.

b) V. 27: Alles ist mir von meinem Vater übergeben worden, und
   niemand erkennt den Sohn, außer der Vater, und den Vater
   erkennt niemand außer der Sohn und wem es der Sohn offenbaren will.«

Der erste Teil steht unter dem Stichwort: »Erwählung der Toren«
— »Zurückweisung der Weisen und Verständigen«. Der zweite
Teil spricht unmittelbar unsere Frage nach dem »Sohn«-Titel an.
Die absolute Exklusivität des Sohn-Vater-Verhältnisses kann kei-
nesfalls aus der orientalisch-hellenistischen Mystik erklärt werden,
die dem Menschen das Heil durch Erkenntnis, durch mystische
Versenkung und durch geheimnisvolle Kulthandlungen vermitteln
wollte.[27] Das »Erkennen« des Sohnes liegt auf einer ganz anderen

---

[27] Vgl. *Norden*, Agnostos Theos 287. Ferner *Averdson*, Mysterium
Christi 106.157. *Schweizer* wendet dagegen in seinem Artikel: υἱός,
ThW VIII 374f ein, man müsse auf das alttestamentliche »erkennen«
zurückgreifen, das eine Erwählung durch den Vater und Anerkennung
durch den Sohn meint.

Ebene. Die einzelnen Aussageelemente »Niemand erkennt den Sohn« (vgl. Ijob 18,1-22; Sir 1,6; Koh 7,24f), »außer der Vater« (vgl. Ijob 28,23-27; Sir 1,8; Bar 3,32; Hen 63,2; Spr 8,22-30; Sir 1,1 u. ö.), »und den Vater erkennt niemand außer der Sohn« (vgl. Spr 8,12; Weish 7,25ff; 8,3; 9,4.9.11; Weish 2,13.16.18; 7,21) haben deutliche Entsprechungen in der jüdischen Weisheitsliteratur.[28] Jesus übernimmt die Rolle der göttlichen Weisheit. Er ist, wie die Weisheit, Gegenstand der göttlichen Erkenntnis. Als Sohn, das heißt als bevorzugter Träger der Weisheit und als Repräsentant des Heilsmysteriums Gottes (»Alles ist mir von meinem Vater übergeben worden«) erkennt er umgekehrt auf einzigartige Weise den Vater. Das gegenseitige Erkennen und Erkanntwerden steht im engsten Zusammenhang mit dem Mysterium Gottes, von dem im ersten Teil des Jubelrufs (V. 25.26) die Rede war.

Auch der Ausdruck »offenbaren«, der die beiden Satzhälften (V. 25.26 und V. 27) miteinander verbindet, weist auf das weisheitliche Denken zurück. In allen Weisheitsschriften ist die Sophia die Mittlerin der göttlichen Offenbarung.[29] In gleicher Weise bietet Jesus »seine Weisheit« an.[30]

Gegenstand dieser Offenbarung, die dem Sohn vorbehalten ist, ist

---

[28] *Christ*, Jesus Sophia 91 spricht von einer »Beziehungstradition« (Verhältnis der Weisheit zu Gott), einer »Verborgenheitstradition« (Verborgenheit, Ablehnung und Aufstieg der Weisheit) und von einer »Erwählungstradition« (Wohnungnahme oder Mitteilung der Weisheit). Alle drei Traditionsstränge könnten im Jubelruf nachgewiesen werden. Christ hat sicher Recht, wenn er auf den allgemeinen weisheitlichen Hintergrund hinweist. Die Behauptung »Als Empfänger, Kenner und Offenbarer, darüber hinaus aber auch als Gegenstand des Geheimnisses erscheint Jesus der Sohn eindeutig als die Weisheit« geht m. E. zu weit.

[29] Die Vorstellung von einem göttlichen Offenbarer spielt in der johanneischen Christologie eine zentrale Rolle. Auch hier wird man den weisheitlichen Hintergrund berücksichtigen müssen (vgl. *Feuillet*, Études johanniques; weiter *W. Grundmann*, Matth 11,27 und die johanneischen »Der Vater — der Sohn«Stellen: NTS 12 [1965] 42-49). Ein besonderer Bezugstext ist Weish 7,28: »Gott liebt keinen, der nicht mit der Weisheit verbunden ist«.

[30] Lk 21,15 erscheint Jesus als »Spender der Weisheit«: »denn ich will euch Rede und Weisheit geben, der alle eure Widersacher nicht werden widerstehen oder widersprechen können«.

nach dem grammatischen Zusammenhang der Vater. Allerdings wird man wegen der gegenseitigen Bezogenheit der beiden Satzteile, die vom Erkennen sprechen, auch an eine Selbstoffenbarung des Sohnes denken müssen. Die Identität von Offenbarer und Offenbarung ist ein Grunddogma der weisheitlichen Lehre, denn die Weisheit offenbart nichts anderes als sich selbst.[31]

Die »Sohn-Christologie« des Jubelrufs geht sehr beträchtlich über die bloßen »Sohn-Gottes-Prädikate« der synoptischen Evangelien und der frühen Bekenntnisstufe hinaus. Es geht nicht mehr bloß um den Menschensohn in Niedrigkeit, der für das Jesusbild der Logienquelle auf weite Strecken bestimmend ist, sondern um den einzigartigen Sohn. Eine so hohe Christologie ist für die synoptischen Evangelien ungewöhnlich. Erst bei Johannes beschreibt der Titel in gleicher Weise das exklusive Verhältnis zwischen Vater und Sohn. Zu Recht spricht man darum von der »johanneischen Stelle«. Man hat lange Zeit aufgrund der angegebenen Sachargumente Mt 11,27 als »spezifisch hellenisches Offenbarungswort ... das ursprünglich als Wort des Auferstandenen überliefert worden war«[32], der frühesten Traditionsstufe absprechen wollen.[33] Das Hauptargument, die Stelle sei ganz klar durch das hellenistisch-gnostische Denken beeinflußt, überzeugt heute nicht mehr. Es hat sich vielmehr erwiesen, daß zur Zeit Jesu auch das palästinensische Judentum hellenistisch eingefärbt war. Daß die Spekulationen mit Sophia — Pneuma — Logos — Sohn bereits in Palästina lebendig waren, wird kaum noch bezweifelt. Es kann nicht grundsätzlich ausgeschlossen werden, daß Jesus einen außerordentlichen Anspruch in den Kategorien des weisheitlichen Denkens ausgesprochen hat.[34]

In den synoptischen Traditionen sind also bereits verschiedene Schichten ineinandergeflossen. Ähnliche Entwicklungen zeigen sich auch in der paulinischen Theologie. Die 15 Stellen (Kolosser- und Epheserbrief zusätzlich je einmal), an denen Paulus den Begriff »Sohn Gottes« verwendet, ergeben kein einheitliches Bild. Gal 1,16

---

[31] Vgl. *Christ*, aaO. 90.
[32] *Bultmann*, Geschichte 172.
[33] Vgl. *Lührmann*, Logienquelle 64-68.
[34] Vgl. dazu *Christ*, aaO. 81-93.

sagt Paulus, es habe Gott gefallen, in dem Apostel seinen Sohn zu offenbaren. Er selbst hat den Auftrag, diesen Sohn Gottes unter den Heiden zu verkündigen (Gal 1,16; 2 Kor 1,19) und das Evangelium von Gottes Sohn (Röm 1,3.9) in die Welt hinauszutragen. Gott hat seinen Sohn in die Welt gesandt, in der Gestalt des Sündenfleisches, um die Sünde außer Kraft zu setzen (Röm 8,3). Dieser Sohn Gottes stammt dem Fleische nach aus dem Samen Davids (Röm 1,3), er ist geboren von der Frau (Gal 4,4); er hat sich selbst hingegeben zum Erweis seiner Liebe (Gal 2,20). Er tat das in Übereinstimmung mit dem Willen des Vaters, der seinen eigenen Sohn nicht geschont hat, sondern ihn hingegeben hat (Röm 8,32), damit wir durch den Tod seines Sohnes versöhnt werden (Röm 5,10). So hat er ihn zum Sohn Gottes in Kraft eingesetzt seit der Auferstehung aus den Toten (Röm 1,4), und wir erwarten jetzt den Sohn Gottes aus den Himmeln (1 Thess 1,10). Gott hat durch die Sendung und das Erlösungswerk seines Sohnes den Glaubenden das Sohnesrecht verliehen (Gal 4,5) und er hat sie berufen in die Gemeinschaft mit seinem Sohne (1 Kor 1,9). Er hat den Glaubenden den Geist seines Sohnes ins Herz gegeben (Gal 4,6) und er hat sie dem Bilde seines Sohnes gleichgestaltet (Röm 8,29). Wenn der Sohn alles Gott unterworfen hat, dann wird er sich selbst unterwerfen, damit Gott alles in allem sei (1 Kor 15,28).

Mit gewissem Recht weist J. Blank[35] darauf hin, daß man die inhaltlich stark voneinander abweichenden Aussagen nach drei großen Themenkreisen ordnen kann, die auf verschiedene Entwicklungsstufen in der vorausgehenden Tradition zurückweisen. Der erste Kreis sei bestimmt durch den Verständnishorizont der Inthronisation (vgl. Röm 1,3f; 1 Kor 15,28; 1 Thess 1,9f), der zweite sei durch das Stichwort »der Sohn und die Söhne« gekennzeichnet (Gal 4,4-7; Röm 8,14f; 9,4; Eph 1,5). Die Beziehung des Titels zur Sendung durch den Vater und die soteriologisch-heilsgeschichtliche Komponente öffne den Blick für das Menschsein Christi. Eine dritte Gruppe von »Sohn-Gottes«-Texten stelle die Heilsbedeutung des Handelns Gottes in Jesus Christus stärker in

---

[35] Paulus und Jesus 249-303; s. auch *Kramer*, Christos 185: der Sohn-Gottes-Titel gehört zu den Adoptions- und Sendungstexten.

den Vordergrund (Gal 2,19f; Röm 5,10; 8,3f.32) und mache deutlich, daß paulinische Christologie vom Ansatz her Soteriologie ist.

Aber auch diese thematische Gliederung bestätigt ja im Grunde nur die Tatsache, daß der Begriff »Sohn Gottes« von Paulus »in allen Bereichen seiner christologischen Aussagen«[36] verwendet wird. Die Schlußfolgerung ist darum berechtigt, daß sich die »Gesamtwirklichkeit Jesus Christus ... auch des Begriffes ›Sohn Gottes‹ bemächtigt«[37] und seinen Inhalt neu bestimmt hat.

In der inhaltlichen Entwicklung ist der Übergang vom judenchristlichen zum heidenchristlichen Denken ein entscheidender Einschnitt. Das heilsgeschichtliche Verständnis des Titels erfuhr jetzt eine wichtige Bereicherung. Aufgrund der philosophischen Kategorien des Hellenismus war grundsätzlich die Möglichkeit offen, über das Wesen Jesu, des Sohnes, Aussagen zu machen. Die Weichen für eine Entwicklung, die von Phil 2,6ff über Kol 1,15-20 bis zu Joh 1,1ff führt, sind gestellt.

Im Johannesevangelium — ohne Zweifel eine sehr späte Traditionsstufe — ist Jesus der Sohn im absoluten Sinn. Die Einheit mit dem Vater zeigt sich vor allem im Wissen, Kennen (7,29; 8.14.55; 11,42; 13,1.3; 19,28) und Lieben (3,35; 10,17; 14,31 u. ö.). Der Sohn ist der vom Vater Gesandte (14,9ff). In diesem Sinne ist der Sohn die vollkommene Offenbarung des Vaters in der Welt. Letzter Ursprung einer solchen Offenbarung, die ihren geschichtlichen Ausdruck findet in der Sendung des Sohnes, ist die Liebe des Vaters (3,16f). So verstanden ist der Sohn Bringer des Heils und Spender des Lebens.

Die Sohn-Aussagen im Johannesevangelium sind weitgehend Wesensaussagen, welche die späteren nachneutestamentlichen Spekulationen über das innertrinitarische göttliche Leben vorbereitet haben. Trotzdem unterscheidet sich das vierte Evangelium ganz wesentlich von den christologischen Bekenntnissen der frühen Konzilien. Es denkt mehr biblisch-heilsgeschichtlich als ontologisch-spekulativ. »Johannes ... sieht noch alle jene Worte in engster Verbindung mit der Heilssendung des Sohnes in die Welt. In die-

---

[36] *Kuss,* Römerbrief 1. Lieferung 12.
[37] *Kuss,* aaO. 13.

ser Hinsicht bleibt seine Christologie funktional, ist aber für eine
›essentiale‹ Betrachtung schon offen«.[38]
Eine ähnlich hohe Sohn-Christologie wie das Johannesevangelium
wird auch vom Verfasser des Hebräerbriefs vertreten. Der über-
ladene Einleitungssatz des Briefs (1,1-4) ist eine gedrängte Zusammenfassung. Der Sohn ist zum Erben von allem (V. 2) eingesetzt.
Durch den Sohn hat Gott die Welt geschaffen (V. 2). Der Sohn ist
Abglanz der Herrlichkeit des Vaters, Abdruck seines Wesens, er
ist Träger des Alls durch das Wort seiner Kraft, er hat Reinigung
von den Sünden erwirkt und sich zur Rechten der Majestät in der
Höhe niedergelassen (V. 3). Darum ist er erhabener geworden als
die Engel, und der Name, den er ererbt hat, überragt alles (V. 4).
Auf den ersten Blick wird sichtbar, daß hier eine ganz hohe Christologie entfaltet wird, die sich messen kann mit den Aussagen
von Kol 1,15-20 und mit dem Johannesprolog (Joh 1,1-18). Der
Verfasser steht mit seinen Schriftzeugnissen innerhalb der urkirchlichen Tradition, die er freilich auf seine besondere Weise weiter-
entwickelt hat. Bei all den hohen Wesensaussagen sollte nicht übersehen werden, daß die soteriologische Ausrichtung und Begründung
der Sohn-Stellung nicht zu kurz gekommen ist (er erwirkt Reinigung von Sünden, V. 3).
Ein wichtiger Text, der mittelbar über das Sohn-Verständnis etwas
sagt, findet sich am Ende des Briefs in der Formel: »Jesus Christus
gestern und heute derselbe und in Ewigkeit« (Hebr 13,8). O. Kuss
schreibt zu Recht in seinem Hebräerbriefkommentar[39]: »so ist die
Auffassung schwer zu widerlegen, daß, wenn man die Formel
›einmal mit den Ohren eines zeitgenössischen Israeliten, etwa eines
Rabbinen‹ hört, der Gedanke an Jahwe sich sogleich einstellt: ein
Jude ›hört die Formel als eine Deckformel für den Jahwenamen‹«.

Der Titel »Sohn Gottes« hat eine komplizierte Vorgeschichte, die
im einzelnen nur sehr schwer nachgezeichnet werden kann. Ganz
entscheidende Impulse dürften vom Alten Testament ausgegangen

---

38 Vgl. die ausführliche Darstellung der johanneischen Christologie bei
   Schnackenburg, Christologie 337-350, Zitat: 344.
39 *Kuss*, Hebräer 145; vgl. *Bornhäuser*, Hebräer 39.
40 Vgl. *R. Schnackenburg*, Sohn Gottes, in: LThK IX, 851-854.

sein. Dieser Hintergrund macht die Tatsache verständlich, daß
»Sohn Gottes« nicht zunächst eine Wesensaussage ist, sondern eine
Rechtsstellung umschreibt. Vielfältige Berührungen mit weiteren
Würdenamen (Messias, Kyrios, Knecht Gottes) haben den Titel
inhaltlich gefüllt und im Sinne des Christusgeschehens geprägt.
Die frühe Kirche dürfte sich zunächst orientiert haben an der auf
die Ostererfahrung zurückgehenden Erhöhungsvorstellung, welche
allen vorgegebenen Denkmodellen eine neue Bestimmung gegeben
hat. Für die Reflexionen über die Beziehungen von Vater und
Sohn ist der absolute Sohn-Titel von Bedeutung, dessen vorösterlichen
liche Ursprünge im »Sohnesbewußtsein« Jesu »geschichtlich genügend
gend erkennbar und glaubhaft«[40] sind. Eine weitere Vertiefung
hat sich ergeben aus der Begegnung mit den hellenistisch-jüdischen
Präexistenzvorstellungen, die einzuordnen sind in den weiteren
Rahmen der Weisheitstheologie.

3. Messias

Die Erwartung einer endzeitlichen Heilbringergestalt, eines »Gesalbten
salbten des Herrn«, ist dem Neuen Testament zwar vom Alten
Testament und vom Judentum vorgegeben, aber sie gehört keinesfalls
falls zum »eisernen Bestand« der Endzeithoffnungen Israels. Die
wenigen nachweisbaren Spuren sind zudem sehr uneinheitlich; eine
klare Entwicklungslinie läßt sich nicht erkennen. Man kann allenfalls
falls von zusammenhanglosen, sich mehrfach überschneidenden
Motiven sprechen.[41]
Nur andeutungsweise ist im Judaspruch (Gen 49,8ff) von einem
kommenden Herrscher, dem die Völker gehorchen werden, die
Rede (vgl. Num 24,15ff; Am 9,11ff). Die Immanuelweissagung
des Jesajabuches (7,10ff; 8,23b - 9,6) verknüpft die Hoffnung auf

---

[41] Über die Gründe für das Fehlen der Messiasgestalt kann man nur
spekulieren. *Bousset,* Judentum 222, nimmt an, die Ausweitung des
jüdischen Weltbildes und die Vorstellung von einer weltweiten Endzeitkatastrophe
zeitkatastrophe hätte keinen Raum gelassen für einen König aus dem
Stamme Davids. Die Ereignisse der Endzeit, die auf Gottes wunderbares
bares Eingreifen zurückgehen, machen eine, den Ablauf der Geschehnisse
nisse bestimmende Messiasgestalt überflüssig.

den Frieden der Endzeit mit der Geburt eines Sohnes, bzw. mit dem »Reis aus dem Stamme Jesse« (Jes 11,1-10), auf dem der Geist Jahwes ruht (vgl. auch Jer 23,5ff). Auf den Nachkommen des David deutet unmißverständlich die Prophezeiung des Micha (5,1ff) hin. Für Ezechiel (17,22f; 34,23; 37,24f) und Sacharja (4,6ff u. ö.) ist »der Kommende« sowohl Priester als auch Friedenskönig. In welchem Maße die Lieder vom leidenden Gottesknecht messianisch zu deuten sind (Jes 53), bleibt nach wie vor umstritten.

Die Vorstellung vom kommenden Messias ist in den Schriften des Alten Testaments sehr komplex. Ein geschlossenes Bild liefert erst das Judentum des letzten vorchristlichen Jahrhunderts in den Psalmen Salomos.[42] Der Messias ist ein mächtiger Krieger, der die Herrscher der Völker zerschmettert und die Heiden vertreibt. Er wird die Stämme Israels sammeln und in Jerusalem seine Herrschaft antreten.

Typische Kennzeichen dieses Bildes aus der spätjüdischen Zeit sind die nationalistisch-partikularistischen Züge, verbunden mit einer massiven Aggressivität gegen alles Nichtjüdische. Die Erwartungen sind fast vollständig auf das Diesseits bezogen. Sie konzentrieren sich vor allem auf die heilige Stadt Jerusalem. So verwundert es nicht, daß die Abstammung aus dem Geschlecht des David besonders herausgestellt wird (Ps Sal 17,18.23f). Die neutestamentlichen Schriften haben daran angeknüpft und dieses Motiv kräftig unterstrichen (Mk 10,47; 11,10 par; 12,35 par; Mt 12,23; 15,22; 21,15f; Röm 1,3; 2 Tim 2,8; Offb 5,5; 22,16).

In den Qumrantexten taucht die von Ezechiel und Sacharja her bekannte Erwartung von zwei Messiasgestalten wieder auf. Neben den Idealkönig aus dem Hause Davids (1 QS IX,11; 1 Q Sa II, 20) tritt der priesterliche Messias (1 QS IX,11; 4 Q Test 14). Es ist möglich, daß sich in diesen Vorstellungen die politischen Verhältnisse der Hasmonäerzeit widerspiegeln.

---

[42] PsSal 17,23ff: »Laß ihnen ihren König wiederum erstehen, den Davidssohn, zur Zeit, die du erkoren, Gott, daß Israel, dein Knecht, ihm diene! Umgürte ihn mit Kraft, daß er des Feindes Herrscher niederschmettere! Mach rein Jerusalem von Heiden, die es kläglich niedertreten«.

Politisch-messianische Ambitionen sind wohl auch für die Gruppe der Zeloten ausschlaggebend gewesen. Die neueren Forschungen haben gezeigt, daß die religiöse Motivation zwar weitaus stärker gewesen ist, als es der höchst einseitige Bericht des Flavius Josephus vermuten läßt.[43] Das ändert aber nichts an der Tatsache, daß es sich um eine radikale Terroristengruppe gehandelt hat, die sowohl gegen die Heiden als auch gegen die Lauen unter den Juden fanatisch vorging. Dieses Bild wird durch verschiedene indirekte Hinweise innerhalb des Neuen Testaments ergänzt. Die synoptische Apokalypse (Mk 13,6.21 par) warnt vor falschen Messiassen. Die Apostelgeschichte berichtet von einem Scharlatan namens Theudas, der immerhin über einen Anhang von 400 Mann verfügte und mitsamt seiner Mannschaft getötet wurde (5,36f). Offenbar gab es im Judentum zur Zeit Jesu eine breite messianische Strömung, welche freilich im Detail nur sehr schwer zu analysieren ist.

Die entscheidende Frage für den Messias des Neuen Testaments lautet a) wie es zu der Entpolitisierung dieser Gestalt gekommen ist, b) welche Rolle Kreuz und Auferstehung Jesu bei der Adaptation des Messiastitels gehabt haben und endlich c) ob und in welcher Weise Jesus selbst diesen Titel bereits auf sich angewendet hat.

a) Auf die Auseinandersetzung der jungen nachösterlichen Christengemeinde mit den politischen Gruppen und Widerstandsbewegungen innerhalb des Judentums und ihren militärisch-messianischen Ambitionen haben neuere Untersuchungen aufmerksam gemacht.[44] Speziell die Gruppe, die hinter der Logienquelle steht, bekennt sich zur Forderung der Gewaltlosigkeit und der totalen Liebe. Dem zelotischen Programm des Aufstands und der Erzwingung der Heilszeit mit Hilfe von Gewalt stellen sie die Forderung der Gewaltlosigkeit und der Feindesliebe entgegen. Mit dieser Feststellung stehen die Messiasaussagen des Neuen Testaments in vollem Einklang. All die radikalen Jesusinterpretationen, angefangen

---

[43] Vgl. *Hengel*, Zeloten 16. *W. R. Farmer*, Maccabees, Zealots and Josephus, New York 1956. Anders dagegen: *Simon*, Jüdische Sekten 47f.
[44] Vgl. *Hengel*, Zeloten; *G. Baumbach*, Zeloten und Sikarier: ThLZ 90 (1965) 727-739; *Hoffmann*, Logienquelle 134-152.

von R. Eisler[45] bis hin zu J. Carmichael[46] gehen gründlich an der Wirklichkeit vorbei. Nach dem eindeutigen Zeugnis des ganzen Neuen Testaments unterscheidet sich die Messiasidee des Neuen Testaments vom Messianismus des Judentums durch die betonte religiöse Sinngebung. Die wenigen synoptischen Stellen, welche den Messiastitel verwenden, machen das deutlich.

b) Die übrigen Stellen, welche eindeutig auf die nachösterliche Reflexion zurückgehen, werfen die Frage auf, mit welchen Motiven der frühchristlichen Theologie der Messiastitel neu gefüllt worden ist. J. Gnilka hat sich in seiner Studie »Das Bekenntnis zu Jesus dem Christus«[47] mit dieser Diskussion, die in der Hauptsache zwischen F. Hahn[48] und W. Kramer[49] ausgetragen wird, beschäftigt. Es handelt sich hier im Grunde lediglich um die Applizierung der grundsätzlichen Frage nach den genetischen Ursprüngen der Christologie — jüdisch apokalyptische Endzeiterwartung oder heidenchristliche Erhöhungschristologie — auf die spezielle Frage nach dem neutestamentlichen Verständnis des Messiastitels. Während Hahn aufgrund von Mk 14,61f (Jesus antwortet auf die Frage, ob er der Messias sei: »Ich bin es — und ihr werdet den Menschensohn zur Rechten der Allmacht sitzen und auf den Wolken des Himmels kommen sehen«), Apg 3,20f (». . . damit Zeiten der Tröstung vom Herrn kommen und er den euch Zugedachten sende: Christus Jesus. Ihn muß der Himmel aufnehmen bis zu den Zeiten der allgemeinen Wiederherstellung«) und Offb 11,15 (»Jetzt ist die Herrschaft unseres Herrn und seines Gesalbten über die Welt gekommen und er wird herrschen in Ewigkeit«) den Messiastitel von der Parusieerwartung her deutet und davon ausgeht, daß erst im Zuge einer zunehmenden Enteschatologisierung das ursprünglich apokalyptisch geprägte Messiasprädikat auf den gegenwärtig erhöhten Herrn und dann auch auf den irdischen angewandt worden ist, nimmt W. Kramer an, der Messiastitel sei bereits im frühesten vorpaulinischen und vormarkinischen Tradi-

---

45 Ἰησοῦς.
46 *J. Carmichael*, Leben und Tod des Jesus von Nazareth, München 1965.
47 Vgl. *Gnilka*, Jesus Christus 61-78.
48 Hoheitstitel 179-225.
49 Christos 15-40.

tionsgut in auffälliger Weise mit Aussagen über Tod und Auferstehung Jesu verbunden gewesen. Hier müßten darum auch die Ursprünge des Titels gesucht werden. Unter Umständen habe es, so vermutet Kramer, eine früheste, wahrscheinlich palästinensische Stufe des Christusbekenntnisses gegeben, die ausschließlich von der Erhöhung ausging und den Tod Jesu unerwähnt ließ.[50] Die beiden Thesen sind also deutlich: auf der einen Seite steht die Behauptung, der Messiastitel müsse, ähnlich wie der Menschensohntitel, allein aus den Zukunftserwartungen erklärt werden. Demzufolge habe es eine »unmessianische Phase« in der Gemeindechristologie und erst recht im Jesusverständnis der synoptischen Evangelien gegeben. Auf der anderen Seite wird konstatiert, der Messiastitel habe durch die Beziehung auf die Erhöhung Jesu seine »christliche Neuprägung« erhalten. Es geht uns an dieser Stelle nicht um eine Beteiligung an der ohnehin komplizierten Diskussion, sondern lediglich um die Feststellung, daß die christlichen Ursprünge des Titels umstritten sind und daß über den zeitlichen Anfang offenbar nichts genaues gesagt werden kann.

c) Hier erhebt sich natürlich die Frage, ob es möglich ist, aufgrund der synoptischen Texte etwas zu sagen über ein mögliches messianisches Selbstverständnis Jesu. Sollte nachgewiesen werden können, daß Jesus selbst mit diesem Anspruch aufgetreten ist und unter Umständen sein Wissen um den erlösenden Kreuzestod mittels dieses Titels ausgesprochen hat, dann wäre das natürlich eine wichtige Erkenntnis für die Frage nach den Anfängen der Christologie.

Es ist zunächst auffallend, daß jener Titel, der in der kirchlichen Tradition fast zum Eigennamen Jesu geworden ist, sich in der synoptischen Tradition nur sehr sparsam findet. Der Befund ist

---

[50] Christos 30f. In eine ganz andere Richtung geht die Vermutung von *Kl. Berger*, Zum traditionsgeschichtlichen Hintergrund christologischer Hoheitstitel, NTS 17 (1971) 393-400. Er nimmt an, daß die Ursprünge in einer jüdischen Tradition zu suchen sind, welche im Messias den mit heiligem Geist gesalbten endzeitlichen Propheten sieht. »Salbung bedeutet Besitz der legitimen Lehre (Erkenntnis Gottes und Gebote); auch die Salbung des Hohenpriesters wird als Empfang und Weitergabe von Lehre verstanden. Trägerkreis dieser Auffassungen sind prophetisch-levitische Gesetzeslehrer« (400).

folgender: Die synoptischen Evangelien kennen mit Ausnahme des indirekten Selbstzeugnisses Jesu vor dem Synedrium (Mk 14, 55 - 64 par) keinen ausdrücklichen Messiasanspruch.

Wohl gibt es einige Fremdbekenntnisse zu Jesus, dem Messias. An erster Stelle steht das Bekenntnis des Petrus in Cäsarea Philippi (Mk 8,29). Es gehört in einen größeren Zusammenhang, der in den Versen 27—33 vier verschiedene Szenen miteinander redaktionell verbindet. Die Verse 27.28 berichten von der Befragung der Jünger über die Person Jesu auf dem Wege nach Cäsarea Philippi und von der Antwort, die darauf hinausläuft, daß Jesus im Bewußt-sein der Leute ein Prophet ist mit dem Anspruch des Täufers Jo-hannes und des wiederkommenden Elias. V. 29.30 bringen das bekannte Petrusbekenntnis: »Du bist der Christus« und daran an-schließend das Schweigegebot. V. 31 enthält die stark stilisierte Leidens- und Auferstehungsankündigung. Daran schließt sich in V. 32 der Widerspruch des Petrus an, der in V. 33 auf eine recht ungewöhnliche Weise zurückgewiesen wird. Jesus sagt ihm: »Hin-ter mich, Satan, denn du denkst nicht, was Gottes, sondern was der Menschen ist«. Auf den ersten Blick fällt auf, daß V. 31 mit der Leidensankündigung redaktionell ist. Sie zeigt ganz eindeutig den Einfluß der nachösterlichen theologischen Reflexion. Auf das Konto der Redaktion dürfte ebenfalls V. 30 mit dem Schweige-gebot gehen, das anerkanntermaßen ein Stilmittel der Markus-redaktion ist. Es bleibt dann die Frage Jesu, die Jüngerantwort und das Petrusbekenntnis. Hinzu kommt das abschließende Droh-wort von V. 33. Daraus ergibt sich folgende Möglichkeit für die Rekonstruktion der ursprünglichen Szene: Die Frage Jesu wird zunächst von den Jüngern in der bekannten Weise, dann von Petrus eindeutig mit dem Messiasbekenntnis beantwortet. Jesus weist dieses deshalb so energisch zurück, weil er sich mit dem jü-disch-politischen Messias, an den Petrus offenbar gedacht hat, in keinem Fall identifizieren wollte. Ungeklärt bleibt bei dieser Deu-tung der V. 32, der den Widerspruch des Petrus erwähnt. Wenn man ihn nicht zusammen mit V. 31 ganz streicht, dann wird man doch einen Restbestand der Leidensankündigung, die sich unter Umständen sehr allgemein auf die Verwerfung Jesu durch sein Volk bezogen hat, für ursprünglich halten müssen. Jetzt wäre der

Widerspruch des Petrus sinnvoll. Ob Jesus den Messiastitel hier auf sich bezogen hat und in welchem Maße er ihn befreit hat von dem jüdischen Vorverständnis, kann nicht mehr mit letzter Klarheit festgestellt werden.[51] Wir konstatieren lediglich, daß auf einer sehr frühen Stufe der synoptischen Tradition der Messiasanspruch mit der Verwerfung Jesu durch sein Volk in Verbindung gebracht worden ist. Welche Rolle dabei der Menschensohntitel gespielt hat, ist schwierig zu sagen.

Die Stelle Mk 12,35-37 ist nicht sehr ergiebig. Sie will das »Herr-Sein« des Messias beweisen und seine Überlegenheit gegenüber dem König David betonen. Ob es sich um eine Fragestellung innerhalb der Gemeinde handelt oder ob die Argumentation auf Jesus zurückgeht, ist nicht mehr eindeutig auszumachen.[52]

Es bleibt noch die Szene vor dem jüdischen Synedrium, in welcher Jesus sich indirekt als Messias bekennt (Mk 14,55-64 par). Auf die Schwierigkeiten, die sich aus der ungewöhnlichen nächtlichen Sitzung des Synedriums, aus den Abweichungen vom jüdischen Prozeßverfahren und der für Christen unwahrscheinlichen Kenntnis der Details einer solchen Sitzung ergeben, braucht hier nicht eingegangen zu werden. Zu klären ist lediglich die Frage, welches

---

[51] *Dinkler,* Petrusbekenntnis 127-153, hält die Caesarea-Perikope in der bei Markus vorliegenden Form für die nachösterliche Bearbeitung einer frühen Tradition. Jesus selbst habe den Titel zurückgewiesen und »der Urgemeinde die Suche nach einem adaequaten Titel auferlegt« (152). Das Messiasbekenntnis hat seinen Ursprung im nachösterlichen Glauben. Zwischen der Verkündigung Jesu und dem Kerygma der Urgemeinde besteht ein Umbruch. »Dieser läßt sich nicht durch eine auf Jesus zurückführbare direkte oder indirekte Verchristlichung des jüdischen Messiasbegriffs erklären, sondern hat seinen Grund *allein in Gottes Handeln,* das sich in der ursprünglich jeder traditionellen Prädikation entziehenden Person Jesu von Nazareth an Karfreitag und Ostern dem Glauben offenbarte«. Diese Erklärung läßt die Frage unbeantwortet, warum die nachösterliche Gemeinde nach der Hinrichtung am Kreuze Jesu einen Titel zuspricht, der 1. das blutige Geschehen nicht verständlich macht und 2. von Jesus selbst abgelehnt worden ist.

[52] Vgl. *Bultmann,* Geschichte 166. Er hält das Logion für Gemeindebildung. *Cullmann,* Christologie 133, versteht die Stelle als Argument für die »höhere Herkunft« des Messias.

nach den Vorstellungen der Markusredaktion, auf deren Konto ohne Zweifel die entscheidende Stelle 14,61f (»Wiederum fragte ihn der Hohepriester: ›Bist du der Messias, der Sohn des Hochgelobten?‹ Nun sprach Jesus: ›Ich bin es — und ihr werdet des Menschen Sohn zur Rechten der Allmacht sitzen und auf den Wolken des Himmels kommen sehen‹«) geht, das ausschlaggebende Moment für die Verurteilung Jesu gewesen ist. Ohne zunächst auf die Verbindung der Titel »Messias« — »Sohn des Hochgelobten« — »Menschensohn« einzugehen, darf man doch voraussetzen, daß ein messianischer Anspruch Jesu bei der Verurteilung eine Rolle gespielt hat. Das ergibt sich aus der historisch echten Nachricht über den Titulus am Kreuze. Nach dem Zeugnis des Markusevangeliums lautet die Anschuldigung: »Der König der Juden« (Mk 15,26). Wenn Pilatus Jesus mit dieser Begründung hinrichten ließ, dann wird man voraussetzen müssen, daß hinter dieser abfälligen Formulierung (christlich hätte es geheißen: »Der König der Könige«, jüdisch: »Der König Israels«) eine wie immer auch geartete messianische Deutung der Person Jesu, seiner Predigt und seines Wirkens, gestanden hat. In welchem Ausmaß der Messiasanspruch vor dem jüdischen Synedrium eine Rolle gespielt hat, ist schwer zu sagen. Sicher ist es auf jeden Fall, daß der Titulus des Kreuzes »die Jüngergemeinschaft Jesu inspirierte, Jesus als den zu erkennen, als welcher er hingerichtet wurde, als König der Juden, als Messias, nicht mehr im jüdischen, sondern in einem neuen Sinn«.[53]

Wir können zum Abschluß unserer Überlegungen zu der Gerichtsszene vor dem jüdischen Synedrium und dem indirekten Messiasbekenntnis Jesu sagen, daß manches für die Echtheit eines solchen Bekenntnisses spricht.[54] Auf der anderen Seite können die Gegen-

---

[53] *Gnilka*, aaO. 77.
[54] Vgl. *Kümmel*, Theologie 59-65. Kümmel hält es durchaus für wahrscheinlich, daß Markus die Szene vor dem jüdischen Synedrium historisch richtig wiedergegeben hat. »... daß Jesus nach seiner Stellung zur jüdischen Erwartung eines königlichen ›Gesalbten‹ gefragt worden ist, ist angesichts der politischen Beschuldigung, mit der die jüdischen Behörden Jesus dem Pilatus übergeben haben müssen, äußerst wahrscheinlich« (63).

argumente nicht voll und ganz entkräftet werden. Als sicher können wir feststellen, daß die Markusredaktion Jesus den Titel zuspricht, ihn freilich sofort durch den Hinweis auf den kommenden Menschensohn unter Bezugnahme auf die Hoheitsstellung des endzeitlichen Messias nach Ps 110,1 korrigiert und transzendiert. Die Gemeinde ist allerdings bei den Vorstellungen von einem entpolitisierten Endzeitmessias nicht stehengeblieben. Die aktuelle Erfahrung von Auferstehung und Erhöhung hat sehr bald den Messiastitel an sich gezogen und ihm einen neuen und weiteren Inhalt gegeben.

Das Fazit unserer Überlegungen zum Messiastitel und zu dessen Bedeutung für die Anfänge der Christologie lautet also: eine vorösterliche Verwendung als Selbstbezeichnung Jesu ist möglich, aber nicht eindeutig nachzuweisen. Mit Hilfe des Titels kann man also nichts Zwingendes über den hohen Anspruch Jesu aussagen.

4. Davidssohn

Der Titel »Davidssohn« nimmt innerhalb der christologischen Hoheitsaussagen insofern eine Sonderstellung ein, als hier an erster Stelle ein Sachverhalt behauptet wird, der prinzipiell historisch nachprüfbar sein muß. Anders als bei den Bekenntnistiteln, wie Kyrios, Sohn Gottes, Menschensohn und Messias, wird hier eine Feststellung gemacht, die zunächst empirischer Natur ist. Denn unter der Voraussetzung, daß ausreichende Quellen und Überlieferungen zur Verfügung ständen, müßte die Behauptung nachgewiesen werden können.

Darüber hinaus enthält der Titel aber auch noch eine Aussage, die sich der historischen Nachprüfung entzieht. Daß Jesus *der* Sohn Davids ist, in welchem die Verheißungen des Alten Testaments in Erfüllung gehen, ist eine Glaubensaussage, deren Annahme man nicht erzwingen kann.

Zum ersten Teil der Fragestellung, ob Jesus im Sinne der Genealogie tatsächlich von David abstammt, gehen die Ansichten der Autoren weit auseinander. Während F. Hahn[55] eher zurückhaltend

---

[55] Hoheitstitel 250.

konzediert, die davidische Herkunft Jesu könne nicht bestritten werden, ist das Urteil von O. Cullmann schon optimistischer.[56] Er nimmt an, »daß die Familie Jesu, wie wahrscheinlich auch andere Familien dieser Zeit, zwar vielleicht nicht gerade einen Stammbaum, wohl aber eine mündliche Überlieferung besaß, nach der sie zum Geschlecht Davids gehörte«. W. Michaelis ist in seinem Urteil ganz sicher. Er hält es für völlig unwahrscheinlich, »daß die entsprechenden Aussagen des Neuen Testaments unbegründete Behauptungen sein sollten, hervorgegangen lediglich aus dem Wunsch, für den Nachweis der Messianität Jesu auch dieses Requisit beizubringen«.[57] Für B. Weiß[58] endlich steht es geschichtlich vollkommen fest, daß die Familie, in der Jesus aufwuchs, ihren Ursprung auf David zurückführen konnte.

Man sieht, daß bereits die Tatsachenfrage erhebliche Schwierigkeiten bereitet. Darum darf es eigentlich nicht verwundern, daß die bekenntnismäßige Seite des Titels noch weitaus ungesicherter ist. Die Frage lautet, ob Jesus oder die frühchristliche Theologie — die genealogische Abstammung von David vorausgesetzt — aus diesem Sachverhalt einen christologischen Anspruch abgeleitet haben. E. Stauffer[59] äußert sich in dieser Sache zurückhaltend. Er spricht von einer historischen, geschichtlich verantwortbaren Feststellung, die weder von Jesus, noch von den neutestamentlichen Theologen christologisch ausgewertet worden sei. Im Gegensatz dazu sind namhafte Forscher wie Th. Zahn[60], F. Spitta[61] und O. Betz[62] der Auffassung, die Davidssohnaussagen müßten als »eine unerläßliche Voraussetzung für den Menschensohnanspruch und das messianische Wirken Jesu verstanden werden«.

Zwischen diesen beiden Positionen stehen jene Meinungen, die davon ausgehen, daß zwar die historische Tatsache der Davids-

---

[56] Christologie 131.
[57] *Michaelis*, Davidssohnschaft 323.
[58] Leben Jesu I 203.
[59] Jesus 21.
[60] Grundriß 18.
[61] Streitfragen 171.
[62] Vgl. O. *Betz*, Die Frage nach dem messianischen Bewußtsein Jesu: NovT VI (1963) 20–48.

sohnschaft nicht zu bestreiten ist, ihr aber keine gewichtige christologische Bedeutung zumessen. Sie hätte allenfalls im Zusammenhang mit dem Messiasglauben einen subsidiären Wert; mit dem Vordringen der Menschensohnvorstellung und der Idee vom leidenden Gottesknecht hätte aber die Vorstellungsgruppe »Messias — Davidssohn« recht bald ihren Aussagewert verloren.[63]

Die Studie von Chr. Burger »Jesus als Davidssohn / Eine traditionsgeschichtliche Untersuchung« kommt nach einer gründlichen Analyse der Überlieferung zu dem Ergebnis, »daß sich im gesamten Stoff der Evangelien keine Überlieferung zum Thema Davidssohn findet, die mit einiger Sicherheit auf Jesus selbst zurückgeführt werden könnte«.[64] Dieser kritische Befund wird bestätigt durch eine eingehende Untersuchung der neutestamentlichen Stammbäume (Burger glaubt nachweisen zu können, daß sie nicht aus palästinensischen Traditionen stammen), sowie durch einen Vergleich zwischen dem synoptischen Jesusbild und dem Sohn Davids aus Ps Sal 17, der auf erhebliche Divergenzen aufmerksam macht. Aus all diesen Beobachtungen wird gefolgert, das Bewußtsein, Sohn Davids zu sein, sei für Jesus nicht bestimmend gewesen. Die Meinung der Familie Jesu zu dieser Sache sei nicht mehr festzustellen. Da weder die Logienquelle, noch das Sondergut von Matthäus und Lukas von der Davidssohnschaft sprechen, müsse man annehmen, daß sie in der frühesten christlichen Tradition keine bedeutende Rolle gespielt habe. Die Davidssohnaussagen bei Markus verfolgten vielmehr den Zweck, die jüdische Auffassung von der Herkunft des Messias aus dem Haus David zu widerlegen. Der älteste Beleg dafür finde sich in der bekannten Stelle im Präskript zum Römerbrief (1,3). Dahinter stünde eine hellenistisch-judenchristliche Gemeinde, die einerseits das traditionelle jüdische Theologumenon beibehalten wolle, andererseits aber eine aus hellenistischem Denken abgeleitete Aussage über die Gottessohnschaft »nach dem Geist« damit verbinde. »Die alttestamentliche Davidsverheißung, auf die man sich beruft, hat mit der

---

[63] Vgl. *Taylor*, Names of Jesus 24; *Feine*, Theologie 71.
[64] *Burger*, Jesus 165.

himmlischen Einsetzung zum Sohn Gottes ihre überbietende Erfüllung gefunden«.[65]

Burger zieht aus seiner Untersuchung folgendes Resumee: »In der ältesten Jesus-Überlieferung nicht bezeugt, in der Auseinandersetzung der frühen Gemeinde mit dem Judentum sogar abgewehrt, gewinnt die Vorstellung vom Davidssohn im Bekenntnis hellenistisch-judenchristlicher Kreise christologische Bedeutung. Der Rede von Jesus als Davidssohn eignet jedoch nirgends das Gewicht einer selbständigen christologischen Konzeption«.[66]

Wenngleich die Ergebnisse von Burger im einzelnen eine kritische Auseinandersetzung herausfordern — die Rolle der Davidssohnschaft in den Vorgeschichten des Mt- und Lk-Evangeliums macht m. E. deutlich, daß es sich um ein Theologumenon handelt, welches in der frühesten judenchristlichen Theologie einen festen Sitz hatte — wird man doch an folgenden Punkten zustimmen müssen:

1. Die eigentliche Bedeutung der Davidssohnaussagen wird nur in der Verbindung mit dem Messiasbekenntnis erkennbar.

2. Die christliche Gemeinde hat den in der Davidssohnschaft enthaltenen genealogischen Aspekt in ihre neue, an Ostern orientierte und von Ostern her zu bestimmende Verkündigung eingebaut und so ein Element der historischen Verankerung des Kerygmas geliefert.[67]

3. Während Markus und Matthäus mit dem Titel die vorläufige Hoheit des Irdischen umschreiben, soll bei Lukas aufgezeigt werden, daß der nachweisliche Davidide als Gottessohn und Kyrios zur Rechten Gottes eingesetzt ist.

4. Das Bild ist in den verschiedenen neutestamentlichen Dokumenten äußerst komplex. Der Titel Davidssohn umfaßt Aussagen

---

[65] *Ders.*, aaO. 167.

[66] *Ders.*, aaO. 177.

[67] Vgl. *E. Lohse*, υἱὸς Δαυίδ, in: ThW VIII 487f: »... damit soll schwerlich lediglich eine Bezeichnung seiner Abstammung gegeben werden, sondern sicherlich wird hier schon die Erdenzeit Jesu als messianische verstanden. Als Sohn Davids erfüllte er die Verheißungen der Schrift und die Hoffnung Israels«. Die Davidssohnaussage wird also Röm 1,3 zwar durch den Hinweis auf die Auferstehung überboten, aber sie wird keinesfalls nivelliert, sondern im Gegenteil von Ostern her auf ihren verborgenen Sinn hin erhellt.

sowohl über die Inkarnation, als auch über die Erhöhung. Er beansprucht einen Rang sowohl für den Irdischen, als auch für den Erhöhten und den Kommenden. Es zeigt sich hier mit besonderer Deutlichkeit, was für alle neutestamentlichen und nachneutestamentlichen Versuche, die Gestalt Jesu und seine Bedeutung zu umschreiben, gültig ist: Jede Beschreibung mit Titel und Formel kann niemals endgültig und erschöpfend sein. G. Ebeling stellt deshalb mit Recht fest: »In bezug auf ihr mitgebrachtes Verständnis (lassen sie) sich korrigieren oder gar zerbrechen«.[68]

5. MENSCHENSOHN

Die Frage, ob Jesus sich selbst als Menschensohn verstanden hat beziehungsweise wie er sein persönliches Verhältnis zum Menschensohn gesehen und gedeutet hat, ist nach wie vor umstritten. Die traditionsgeschichtliche Analyse führt zu folgendem grundlegendem Ergebnis: Innerhalb der Menschensohnaussagen der synoptischen Evangelien finden sich drei Motivgruppen:
1. Worte, die auf den Menschensohn als kommenden Richter und Retter auf den Wolken des Himmels hinweisen. Der Menschensohn ist ausschließlich eine Gestalt der Zukunftserwartung.
2. Worte, die den Menschensohn im Zusammenhang mit Aussagen über Leiden, Tod und Auferstehung sehen.
3. Worte, die den Menschensohn auf das irdisch-diesseitige Wirken Jesu beziehen.
Während sich die erste Gruppe der Menschensohnworte nur in der Redequelle, also in Jesuslogien, findet, gehören die Worte von Gruppe 2 und 3 in der Hauptsache in die durch Markus repräsentierte Tradition. Dementsprechend sind sie stärker durch das Auferstehungskerygma und die Vorstellung von der Gegenwart des Heils bestimmt.
R. Bultmann[69] geht davon aus, daß diese beiden Typen, die traditionsgeschichtlich auf die judenchristliche beziehungsweise auf die heidenchristliche Gemeinde zurückweisen, sich ohne gegenseitige

---

[68] G. *Ebeling*, Der Grund der christlichen Theologie: ZThK 58 (1961) 236.
[69] Geschichte 166.

Beziehung unabhängig voneinander entwickelt hätten. Das würde bedeuten, daß Jesus lediglich vom Menschensohn in der eschatologischen Bedeutung gewußt hat. Die hellenistische Gemeinde habe den Titel in das Leben Jesu zurückprojiziert und auf diese Weise dem irdischen Jesus nachträglich jenen hohen Anspruch zugesprochen, der in dem apokalyptischen Menschensohntitel von Anfang an enthalten ist. Im Nachhinein wird so der irdische Jesus zum Erhöhten. Die sich daraus ergebende Spannung zwischen tatsächlicher Niedrigkeit und beanspruchter Hoheit ist ein typisches Problem der späteren Gemeinde. Die früheste Gemeinde hätte das irdische Leben Jesu völlig unmessianisch verstanden. Seine Hoheit sei — entsprechend dem ursprünglichen Sinn des Menschensohntitels — absolut zukünftig gesehen worden.[70]

Die traditionsgeschichtliche Analyse Bultmanns hat weitgehend Zustimmung gefunden. Vereinzelt ist zwar die Ansicht vertreten worden, am Anfang der Entwicklung hätten nicht die Hoheitsaussagen, sondern die Niedrigkeitsaussagen gestanden[71], aber es besteht wohl kaum Veranlassung, an der grundsätzlichen Richtigkeit der von Bultmann aufgezeigten Entwicklungsgeschichte zu zweifeln. Eine andere Frage ist jedoch die Deutung des Befunds. Hier müssen wir allerdings unsere Bedenken anmelden, insbesondere dort, wo aus dem negativen Befund hinsichtlich der Menschensohnworte der Gruppe 2 und 3 für die früheste Tradition vorschnelle christologische Konsequenzen gezogen werden. Gerade in der Logienquelle, die von Bultmann für seine einseitig eschatologisch orientierte Menschensohndeutung in Anspruch genommen wird, finden sich in breiter Streuung Aussagen über die Ablehnung Jesu durch sein Volk. Ohne Zweifel ist das Fehlen der Passionsgeschichte in Q ein Problem. Aber das besagt noch nicht, daß diese Gruppe überhaupt nicht über den Tod Jesu und seine Bedeutung reflektiert hat. Der Tod Jesu wird hier verstanden als das Prophetenschicksal. »Da nach Q der Abgelehnte mit dem angekündigten Richter identisch ist, und er von allen als der ›im Namen des Herrn Kommende‹ anerkannt werden muß (Lk 13,34f), gewinnt die Ablehnung des ›Boten‹ Jesus jedoch ein besonderes Gewicht.

---

[70] *Bultmann,* Theologie 30.
[71] Vgl. *Schweizer,* Erniedrigung und Erhöhung.

Dadurch dürfte eine Entwicklung angeregt worden sein, innerhalb derer die spätere Theologie ausdrücklicher nach der Bedeutung des Todes Jesu fragte.«[72] Wenngleich die Leidensankündigungen im Markusevangelium (Mk 8,31; 9,31; 10,33f) auf das Konto der nachösterlichen Gemeinde gehen, muß doch gefragt werden, ob nicht den stilisierten Aussagen ein echter Rest zugrundeliegt, der von einem sehr allgemeinen Leidensbewußtsein Jesu Zeugnis gibt. Es ist gefährlich, wenn man aus grundsätzlich richtigen traditionsgeschichtlichen Analysen vorschnelle theologische Rückschlüsse ableitet.

Aber wie hat nun das Verhältnis Jesu selbst zum Menschensohntitel ausgesehen? Hat er diesen Titel direkt auf sich bezogen, hat er sich also mit dem kommenden Menschensohn identifiziert, oder darf man davon ausgehen, daß Jesus durch die Beanspruchung des Titels seiner gegenwärtigen Verkündigung Autorität verleihen wollte, ohne von vornherein eine Aussage im Sinne der Gleichung: »Ich bin der zukünftige Menschensohn« machen zu wollen? Für eine solche Vermutung würde die auffällige Tatsache sprechen, daß Jesus den Titel niemals in direkter Rede auf sich bezieht, sondern immer nur in der dritten Person redet.

Das Problem zeigt sich deutlich an einem Logion, das aus der Q-Quelle stammt und bei Mt und Lk in unterschiedlicher Fassung überliefert ist. Bei Lukas heißt es (12,8.9): »Ich aber sage euch, jeder, der sich zu mir bekennt vor den Menschen, zu dem wird sich auch *der Menschensohn* bekennen vor den Engeln Gottes. Wer mich aber verleugnet vor den Menschen, der wird verleugnet werden vor den Engeln Gottes«. Bei Matthäus heißt es dagegen (10,32f): »Jeder, der sich zu mir bekennt vor den Menschen, zu dem *werde auch ich mich* bekennen vor meinem Vater in den Himmeln. Wer aber mich verleugnet vor den Menschen, den werde auch ich verleugnen vor meinem Vater in den Himmeln«. Heute wird ziemlich allgemein angenommen, daß die Lukasfassung, die zwischen Jesus und dem Menschensohn unterscheidet, die ursprünglichere ist. Man geht davon aus, daß keine spätere Gemeindetheologie diese ungewöhnliche Unterscheidung zwischen Jesus und

---

[72] *Hoffmann*, Logienquelle 145.

dem zukünftigen Menschensohn in einen Text eingetragen hätte, der zunächst von einem gegenwärtigen und zukünftigen Verhalten zu Jesus gesprochen hat. Es ist also wahrscheinlicher, daß Matthäus nachträglich den zweiten Teil des Satzes an den ersten angeglichen hat, so daß an beiden Stellen nur noch von Jesus die Rede ist. Ihm geht es offenbar um eine christologische Aussage: Jesus ist der Fürsprecher und der Ankläger beim Vater. Lukas aber fragt nicht zunächst danach, wer Jesus ist (Ankläger und Richter), sondern welche Konsequenzen das gegenwärtige Verhalten der Menschen zu Jesus und zu seiner Botschaft in der Zukunft haben wird. Es geht dem Wort in der ursprünglichen Fassung also weniger um eine Identitätsaussage, als vielmehr um die Hervorhebung einer Relation, die für die Zukunft des Menschen Konsequenzen haben wird. Man kann das Wort also so deuten: Der Menschensohn ist nach der Aussage dieser Stelle der Garant, oder besser: Der Titel »Menschensohn« ist zu verstehen als Garantie für die eschatologische Heilsgemeinschaft mit Jesus. Indem Jesus auf die totale personale Identifizierung verzichtet, behält der Anspruch des Titels seine eschatologische Spannung, die durch die völlige Gleichsetzung entschärft worden wäre. Denn das Bekenntnis »Ich bin der Menschensohn« könnte den prophetisch-eschatologischen Bogen verkürzen und das Heil ausschließlich in der erfüllten Gegenwart sehen.

Die Betonung muß also auf der Relation liegen, die gegenwärtig hergestellt wird im Bekenntnis zu Jesus, in der Annahme seines Wortes und in der Nachfolge Jesu, die ein grundsätzliches »Ja« sagt zu all den radikalen Konsequenzen, welche das Kennzeichen der Lebensgemeinschaft mit Jesus sind. All denen, die sich in einer solchen Weise jetzt zu ihm bekennen, wird die eschatologische Bestätigung ihres Verhaltens zugesprochen.

Unser modernes Denken ist leicht geneigt, diese zunächst soteriologisch gemeinte Verheißung personal-christologisch zu verstehen. Ohne Zweifel ist diese Gleichsetzung auch auf einer sehr frühen Stufe der Tradition, wie sie in der Mt-Fassung des Spruchs noch greifbar ist, durchgeführt worden. Die Logienquelle hat ganz sicher in Jesus den zukünftigen Menschensohn gesehen. Für das Bewußtsein Jesu ist das jedoch nicht so sicher. Mit Sicherheit kann man lediglich sagen: Nach dem Verständnis Jesu hat die Gemeinschaft, die er jetzt seinen Jüngern gewährt, ihre Erfüllung im kommenden Gottesreich. Dort findet sie ihre Bestätigung durch den Menschensohn.[73]

Eine solche Interpretation geht davon aus, daß der kommende Menschensohn, der für Jesus ohne Zweifel eine Individualgestalt ist, trotzdem immer im Zusammenhang mit den korporativen Ursprüngen des Begriffs gesehen werden muß. Der Menschensohn (*bar-nascha*) ist zum mindesten in der Danielapokalypse eine Symbolgestalt (Dan 7,13f.27). Im Unterschied zu den heidnischen Völkern, die durch Tiergestalten symbolisiert werden, repräsentiert der *bar-nascha* das »menschliche« Volk der Juden. Wenngleich die beiden anderen jüdisch-apokalyptischen Belegstellen (4 Esr 13 und die Bilderreden des äthiopischen Henoch) für eine korporative Deutung einige Schwierigkeiten bereiten[74], wird man doch konzedieren müssen, daß der Ausdruck von seinen Ursprüngen her eine gewisse Doppeldeutigkeit erkennen ließ[75] und an die

---

[73] Vgl. zum Ganzen: *Tödt*, Menschensohn 52f; *C. Colpe*, ὁ υἱὸς τοῦ ἀνθρώπου, in: ThW VIII, 443: »Der apokalyptische Menschensohn ist ein Symbol für Jesu Vollendungsgewißheit. Bezieht man es von dieser Gewißheit auf ihren Träger, dann kann man diesen Sachverhalt auch als dynamische, in seiner zukünftigen Vollendung intendierte und funktionale Gleichstellung Jesu mit dem kommenden Menschensohn interpretieren. Die Urgemeinde machte daraus eine statische, schon in Jesu Gegenwart realisierte personale Identifikation«.
Hoffmann, Logienquelle 143f: »Seinen personalen Anspruch verdeutlicht Jesus dadurch, daß er durch diesen Bezug zum Menschensohn seinem Anspruch höchste Qualität gibt. Gleichzeitig läßt er aber sein persönliches Verhältnis zum Menschensohn in der Schwebe«. Hoffmann spricht zu Recht von einer »geschichtlichen Identifikation«, die nicht in den Kategorien der vom griechischen Seinsverständnis geprägten Vorstellungen eingefangen werden kann (144f).
[74] Vgl. *Hahn*, Hoheitstitel 16f: »Nicht die Vorstellung und die terminologische Verwendung ist problematisch, nur der titulare Gebrauch. Er ist allerdings für das vorchristliche Judentum überwiegend wahrscheinlich; denn zugunsten des titularen Wortgebrauchs spricht nicht nur die demonstrative Verwendung im Aethiopischen Henoch, sondern auch die selbstverständliche titulare Anwendung in der gesamten synoptischen Tradition«.
[75] Vgl. *Cullmann*, Christologie 157f.

dem jüdischen Denken geläufige Personifikation von Gruppen in einer Individualgestalt, wie beispielsweise die Repräsentation der vollkommenen Menschheit durch den Urmenschen, erinnert. Vor diesem Hintergrund wird die korporative Deutung der Menschensohngestalt durch den englischen Gelehrten T. W. Manson[76] verständlich. Jesus hätte seine Jünger nicht zur persönlichen Nachfolge aufgerufen, sondern ihm ging es um die Gemeinschaft der Jünger mit ihm. Der Titel »Menschensohn« sei symbolischer Ausdruck dieser gegenwärtigen und zukünftigen Gemeinschaft gewesen. Die Symbolgestalt des Menschensohnes müsse verstanden werden als das Organ für Gottes Erlösungswille gegenüber der ganzen Welt. Hier seien die Grundzüge der deuteropaulinischen Leib-Christi-Vorstellung zu erkennen. Das eigenartige Verhältnis von Christus, dem Haupt, und der Kirche, die sein Leib ist, sei bereits vorgebildet in dem Verhältnis zwischen dem Menschensohn und der Jüngergemeinde.

Vieles bleibt an dieser Deutung ohne Zweifel hypothetisch. Die wichtigsten Bedenken sind von F. Hahn geäußert worden, der darauf aufmerksam macht, daß das korporative Verständnis lediglich für Daniel gesichert ist und daß in der nachdanielischen Tradition des Judentums eine klare individuelle Deutung vorliegt, die auch an allen Stellen des Neuen Testaments vorausgesetzt werden muß.[77] Wenn Jesus vom kommenden Menschensohn gesprochen

---

[76] Teaching 227: »›Son of Man‹ in the Gospels is the final term in a series of conceptions, all of which are found in the Old Testament. These are: the Remnant (Isaiah), the Servant of Jehovah (II Isaiah), the ›I‹ of the Psalms, and the Son of Man (Daniel) ... the Son of Man is, like the Servant of Jehovah, an ideal figure and stands for the manifestation of the Kingdom of God on earth in an people wholly devoted to their heavenly King«.

[77] *Hahn*, aaO. 18f: »Es darf jedoch nicht übersehen werden, daß, ganz abgesehen von dem schon im vorchristlichen Judentum ausgeprägten individuellen Verständnis der Menschensohngestalt, die neutestamentlichen Menschensohnworte keinerlei Indizien liefern, die eine solche Auslegung fordern; daß im Bereich des semitischen Denkens korporative Vorstellungen geläufig waren, ist zusammen mit dem einen Text Dan 7 noch kein ausreichender Grund, zumal die urchristlichen Aussagen gerade nicht unter ausschließlicher Rückbeziehung auf Dan 7 entstanden sind«.

hat, dann dachte er ohne Zweifel an eine Individualgestalt. Aber die »Unschärfen« des Titels und seine komplizierte Vorgeschichte gaben ihm sicher die Möglichkeit, seinen persönlichen Anspruch und seine Verheißungen verbergend und enthüllend zugleich auf diese Weise zum Ausdruck zu bringen. Jesus sieht sich selbst auf einmalige Weise in der Nähe des kommenden Menschensohnes. Seine Verkündigung und seine Forderungen erhalten auf diese Weise letzte Autorität.

Es sei angemerkt, daß für unsere Frage nach den Ursprüngen der Christologie der Menschensohntitel eine wichtige Rolle spielt. Hier werden die Übergänge von einer funktionalen Christologie zur titularen Christologie sichtbar.[78] Die Aussage: »Jesus ist der Menschensohn« ist für die Gemeinde nach Ostern ohne Zweifel ein titulares Bekenntnis. Aber das allein ist eben zu wenig. Die Gleichsetzung des irdischen Jesus mit der himmlischen Gestalt des endzeitlichen Menschensohnes läßt erkennen, daß nach dem Glauben der frühen christlichen Gemeinde der irdische Jesus auf einzigartige Weise dem in dem Titel enthaltenen eschatologischen Anspruch gerecht wird. Jesus war für die Jünger, die ihm folgten, Anspruch und Verheißung. Ostern hat das in einer Weise bestätigt, die ein ganz neues Erkennen der Person Jesu und ein titulares Bekennen zu ihm ermöglichte. Aber der Titel impliziert auch jetzt noch vorösterliche Elemente einer funktionalen Christologie, die es offenzulegen gilt. Von besonderer Bedeutung ist hier ohne Zweifel das einzigartige Phänomen der Jesusnachfolge. Hier werden Relationen sichtbar, welche die späteren titularen Konkretisierungen verständlich machen. Es bleibt allerdings festzuhalten, daß der Weg von den verschiedenen Relationen hin zum titularen Bekenntnis verläuft und nicht umgekehrt. Die Bedeutsamkeit der irdischen Jesusnachfolge und Jesusgemeinschaft, die in sich uneinsichtig ist wegen der Radikalität und Absurdität ihres Anspruchs, wird von Ostern her erhellt und findet ihren Ausdruck in eindeutigen christologischen Bekenntnissen. Der an sich schon vorösterlich außergewöhnliche Komplex der Jesusnachfolge wird nunmehr christologisch interpretiert und überhöht.

---

[78] Vgl. *Balz*, Methodische Probleme 120-127.

6. GOTTESKNECHT

Es ist unbestritten, daß die Bezeichnung Jesu als Gottesknecht zur ältesten Überlieferung gehört. Die apostolische Verkündigung hat den messianischen Dienst Jesu sicher im Licht der jesaianischen Ebed-Jahwe-Verkündigung verstanden (vgl. Mt 8,17 [Jes 53,4]; 12,18-21 [Jes 42,1-4]; Lk 22,37 [Jes 53,12]; Apg 8,32f [Jes 53, 7f]; Röm 15,21 [Jes 52,15]). In indirekter Weise nehmen 1 Kor 15,3-5 (Sühnetod gemäß den Schriften), Röm 4,25 (Jes 53,4.5.12); 8,32; Phil 2,6-12 (δοῦλος); Apg 2,23 (Jes 53,10); 1 Petr 2,21-25; Mk 1,11 par (Jes 42,1) auf den Ebed-Jahwe Bezug.

Für die Verkündigung Jesu ist der Sachverhalt freilich nicht in gleicher Weise eindeutig. Man kann allenfalls eine Reihe von indirekten Hinweisen konstatieren, die nur im Rahmen einer theologischen Gesamtkonzeption aussagekräftig sind. Hierzu gehört vor allem das Logion vom Lösegeld (Mk 10,45 par)[79] und die ὑπέρ-Formel beim eucharistischen Kelch- oder Brotwort (Mk 14, 24; Lk 22,20; 1 Kor 11,24; Mt 26,28: περί).

Das Schweigen Jesu beim Prozeß, das an Jes 53,7 erinnert und u. U. das göttliche »Muß« im Zusammenhang mit dem Leiden, das auf den in der Schrift niedergelegten und in Jes 53 greifbaren Willen Gottes hinweist, kann ebenfalls von der Ebed-Jahwe-Vorstellung her gedeutet werden. Ob dagegen die Proklamation zum »geliebten Sohn« (Mk 1,11; Mt 3,17; Lk 3,22) bei der Jordantaufe den geschichtlichen Anfang des Gottesknecht-Bewußtseins Jesu markiert, muß trotz der von O. Cullmann[80] vermuteten gemeinsamen aramäischen Wurzel der beiden Begriffe »Gottesknecht« und »Gotteslamm« (Joh 1,29.36) fraglich bleiben. Es ist auch auffallend, daß die nur zögernd einsetzende christologische Auswertung von Jes 53 bei Lukas (22,37) und Matthäus (8,17) ganz auf den Titel verzichtet. Diese Zurückhaltung scheint darauf hinzuweisen, daß Jesus diesen Namen nicht für sich beansprucht. Über sein Leidensbewußtsein ist damit noch gar nichts gesagt. E. Schweizer[81]

---

[79] Nach *Kümmel*, Theologie 79 wahrscheinlich auch Gemeindebildung. Sicherer ist der Hinweis auf das »Leiden-Müssen« und »Verworfen-werden« von Lk 17,25 und die Leidensankündigung Mk 8,31-33.

[80] Christologie 70.

[81] Erniedrigung und Erhöhung 72.

weist darauf hin, daß unabhängig von der Beanspruchung des Titels das ganze Leben Jesu von der Grundhaltung eines »für die Vielen dienenden und leidenden Gottesknechtes« bestimmt gewesen ist. Erst die neutestamentliche Theologie hat diese »Grundhaltung« Jesu entsprechend interpretiert mit Hilfe einer Vorstellung, welche mehr besagt als lediglich die Sühnewirkung eines unschuldigen Leidens. Denn darin war die Einzigartigkeit Jesu noch nicht ausgesprochen. Jesus mußte »als der beschrieben werden, in dem alles zusammengefaßt war, was die Schrift von den Knechten Gottes aussagte. Er mußte dann als der verheißene zweite David gelten, als der Gottesknecht der Endzeit. Dann ist darin schon eingeschlossen, daß seine Sühne die endgültige, die alles abschließende ist«.[82]

7. LEHRER

In fast allen Schichten der neutestamentlichen Tradition wird Jesus als Lehrer oder Rabbi (Mk 9,5; 10,51; 11,21; 14,45) gekennzeichnet. Dieser Name gibt bis zu einem gewissen Grad den Eindruck wieder, den die Zeitgenossen von Jesus hatten. Er hielt sich an den landesüblichen Brauch und predigte in den Synagogen. Er sammelte einen Kreis von Schülern um sich und disputierte mit ihnen über Fragen des Gesetzes. Die Streitgespräche mit seinen Gegnern gleichen nach Form und Argumentationsweise den Disputen der jüdischen Lehrer. Wie jene liebt er das plastische Gleichnis und das kurze, einprägsame Sprichwort. Es ist von daher nicht ausgeschlossen, daß Jesus in Analogie zur rabbinischen Lehr- und Lerntechnik seine Worte, die von Anfang an eine hohe Wertschätzung erfahren haben, seinen Jüngern anvertraute und so die Voraussetzungen für die Sammlung und Tradition der Herrenworte schuf.[83]

---

[82] aaO. 73.

[83] Vgl. *Schürmann*, Logientradition 45f. Ob man mit Schürmann in den Logien Hilfsmittel für die eigene Verkündigungstätigkeit sehen soll, die Jesus selbst seinen Jüngern an die Hand gab, gewissermaßen eine Sammlung von »Predigtthemen«, muß fraglich bleiben. Man wird bereits für den Vorgang der vorösterlichen Tradition jene charismatische Freiheit im Umgang mit dem Jesuswort in Anschlag bringen dürfen, die für die nachösterliche Situation offenkundig ist. *Hengel*,

Aber nicht nur in der formalen Lehrtechnik, sondern auch im Inhalt gleicht sich Jesus weitgehend den jüdischen Vorbildern an. Eine ganze Reihe von Jesusworten kann aus dem Lehrgut der Rabbinen abgeleitet oder mit ihnen verglichen werden.[84] So ist es verständlich, daß man gelegentlich die Differenzen übersah und Jesus nur als den Lehrer verstand, der sich zwar gewisse Freiheiten gegenüber den starren Ordnungen des jüdischen Lehrbetriebs erlaubte, aber nicht vorhatte, diesen Rahmen zu sprengen.[85] Eine solche Interpretation berücksichtigt nicht das charismatisch-eschatologische Bewußtsein Jesu, das von Anfang an für ihn bestimmend gewesen ist. Seine Lehre ist zugleich Verkündigung und Anspruch. Die Nähe des Gottesreiches — der zentrale Punkt seiner Predigt — hat nicht nur das formale Lehrverfahren neu bestimmt, sondern auch die Inhalte von den Lehren des Judentums abgegrenzt. Nur wenn man dieses eschatologische Bewußtsein gebührend würdigt, werden die sachlichen Spannungen zum Judentum, die zur Hinrichtung Jesu geführt haben, verständlich.[86] Die Theo-

---

Nachfolge 91f, bemerkt dazu richtig: »Da den Jüngern ja nicht aufgetragen wurde, die Botschaft Jesu möglichst wörtlich zu reproduzieren, könnte hier die Ursache liegen, daß sie schon relativ früh eigenes und Jesus-Logien nahezu untrennbar miteinander verschmolzen. Gerade wenn dieses Geschehen — wenn auch nur kurze Zeit — schon während der Wirksamkeit Jesu in Gang gekommen wäre, würde sich erklären, warum die missionierende palästinensische Gemeinde von Anfang an in relativer Freiheit das aus der Verbindung mit dem erhöhten Herrn erwachsene *eigene* Wort zur Situation mit der Logienüberlieferung Jesu verband«.

[84] Vgl. *Bultmann*, Jesus 53-55.

[85] Vgl. *Bultmann*, Jesus 52-56.

[86] Jüdische Gelehrte, wie L. Baeck, H. J. Schoeps und Schalom-Ben-Chorin, sehen in Jesus einen großen Propheten des eigenen Volkes, in dessen Predigt die besten Traditionen der Religiosität Israels und des Judentums ihren klassischen Ausdruck gefunden hätten.
M. Buber (Zwei Glaubensweisen, Zürich 1950) betont die Einzigartigkeit Jesu, die vor allem in seiner kritischen Einstellung zur Tora und in der Nachfolgeforderung zum Ausdruck kommt. An die Stelle der »sachlichen« Gesetzeserfüllung nach dem Wortlaut tritt bei Jesus die Aufdeckung der wahren Intention des Gesetzes, die Freilegung des eigentlichen Willens Gottes. Das kann aber nur geschehen in der Form der persönlichen Nachfolge. Es wird eine enge Beziehung zwischen

logie des Matthäusevangeliums hat in dieser Richtung deutlich Akzente gesetzt. »Jesus ist der letzte und unüberbietbare Lehrer in Israel.«[87] Er ist der neue Moses, der »auf dem Berge« das Volk lehrt, wie man das Gesetz des Moses erfüllt (5,17) und so den Weg zur neuen und wahren Gerechtigkeit beschreitet.

Das Modell des jüdischen Gesetzeslehrers wird, wenngleich es formal beibehalten ist, an entscheidenden Stellen der synoptischen Verkündigung überboten. Die frühe Christenheit war sich dieser Tatsache durchaus bewußt; das zeigt deutlich das Jesuswort: »Ihr aber laßt euch nicht Rabbi nennen. Denn einer ist euer Lehrer, ihr alle aber seid Brüder« (Mt 23,8).

8. Prophet

Das Lukasevangelium gibt in der Emmausperikope einen Hinweis auf das vorösterliche Jesusbild der Jüngergemeinde. Ohne den Glauben an die Auferstehung sehen die Männer, die sich auf dem Wege mit dem Auferstandenen unterhalten, in Jesus nur »einen Propheten, mächtig in Tat und Wort vor Gott und dem ganzen Volke« (Lk 24,19). Sie hatten die Hoffnung, daß er Israel erretten werde. Das steht in Übereinstimmung mit der Szene von Cäsarea Philippi. Auf die Frage, für wen die Leute ihn halten, bekommt Jesus die Antwort: »Für Johannes den Täufer und andere für Elias. Andere für einen der Propheten« (Mk 8,28). Lukas

Ethik, Eschatologie und Nachfolge sichtbar. Für unsere Frage nach den Anfängen der Christologie zeigen diese Überlegungen einen Weg auf, der in die Tiefe führt. Die Nachfolge ist ein Schlüssel für das Verständnis der Person Jesu. Man wird freilich mit aller Deutlichkeit gerade im Gespräch mit M. Buber die Frage stellen müssen, ob die Nachfolge noch in der Kontinuität der jüdischen Gesetzeserfüllung steht, oder ob sie nicht in ganz entscheidenden Punkten die formelle Toraautorität überbietet. Jesus selbst tritt an die Stelle des Gesetzes. Indem er die Konsequenz des Leidens im Gefolge dieses Anspruchs annimmt, bricht er für sich und für die Nachfolgenden mit dem Gesetz.

Vom Gesetz und von der Gesetzeslehre her bietet sich also kaum ein Zugang zum Verständnis der Person Jesu, es sei denn auf dem Wege der Verneinung. Vgl. *Blank*, Paulus und Jesus 112-116.

[87] *Trilling*, Matthäus 186-199.

spricht von »einem der alten Propheten« (Lk 9,19) und ordnet Jesus damit in die Traditionen des Judentums ein. Die gleiche Volksmeinung wird auch Lk 9,8 bezeugt; nach Mk 6,14-16 hat Herodes in Jesus den wiedererwarteten Täufer Johannes gesehen. Die Dreiergruppe »Elias — Johannes der Täufer — einer der Propheten« macht deutlich, daß ein bestimmter, mit diesen Personen verbundener eschatologischer Anspruch, auf Jesus bezogen worden ist. Das Messiasbekenntnis des Petrus (Mk 8,29; Mt 16,17; Lk 9,20) zeigt aber auch, daß bereits vor Ostern mit dem Prophetentitel noch nicht alles gesagt war.

Nach Lk 13,33 scheint in der Umwelt Jesu ein Wort bekannt gewesen zu sein, das vom Tod des Propheten in Jerusalem wußte. Das liegt auf einer Linie mit dem in der Logienquelle (Lk 11,49-52) reflektierten Geschick aller Boten der Weisheit. Vielleicht wird hier sichtbar, wie man auf einer sehr frühen Stufe das Sterben Jesu verstanden hat. Jesus erleidet das dem Propheten gemäße Schicksal. In der Gleichsetzung des Abgelehnten mit dem zum Gericht Kommenden (Lk 13,34f) zeigt sich eine weitere Motivüberschneidung. Man erkennt deutlich, daß das Modell des Propheten für die Deutung des Todes Jesu nicht mehr ausreicht.[88] In die gleiche Richtung weisen auch die Vorstellungen von Jesus, dem endzeitlichen Propheten. Einige Texte im Johannesevangelium (6,14; 7,40-45) und in der Apostelgeschichte (3,22; 7,37) beziehen das Moseswort von Dtn 18,15: »Einen Propheten wie mich wird der Herr, dein Gott, erstehen lassen aus der Mitte deiner Brüder« auf Jesus. Die Apostrophierung als »der große Prophet« (Lk 7,16) hebt ihn aus der Reihe der übrigen heraus.

Man kann annehmen, daß vor allem die judenchristlichen Gemeinden das prophetische Jesusbild geprägt haben. In dem Augenblick, als die Erhöhungschristologie sich stärker durchsetzte, mußten die Unzulänglichkeiten des Prophetentitels offenkundig werden. »Der ausschließlich vorbereitende Charakter des endzeitlichen Propheten machte eine Verlängerung seiner Funktion von vornherein unmöglich.«[89]

---

[88] Vgl. *Hoffmann*, Logienquelle 145.
[89] *Cullmann*, Christologie 46.

Unsere bisherigen Ausführungen zu den wichtigsten christologischen Hoheitstiteln machen eine abschließende grundsätzliche Überlegung notwendig. Inwieweit ist eine zur Systematisierung neigende Titel-Christologie überhaupt in der Lage, ein sachgerechtes Bild des frühchristlichen Glaubens und Bekennens zu entwerfen?

Man darf nicht übersehen, daß die biblischen Dokumente in sich völlig unsystematisch sind. Demzufolge können die einzelnen Titel keinesfalls als erschöpfende Umschreibungen verstanden werden, welche den ganzen Christus total, endgültig und unüberbietbar auszusagen in der Lage wären. Die Vielzahl der Titel weist vielmehr schon darauf hin, daß sie alle nur Teilaussagen sein können, welche gewissermaßen »auf dem Wege« gesprochen sind. Sie haben also keine absolute, sondern nur eine relative Gültigkeit.

Eine titulare Christologie wird sich dieser ihrer Grenzen immer bewußt sein müssen. Jeder Titel hat einen bestimmten heilsgeschichtlichen Standort und eine konkrete Funktion im Glaubensleben einer Gemeinde. Darum ist es notwendig, die hinter den Titeln stehende Gemeinde in ihrem lebendigen Glaubensvollzug zu erkennen und das geschichtliche Werden und Wachsen dieses Glaubens aufzuzeigen. Neben der titularen Christologie, die bestimmte Typen des Bekenntnisses in den Vordergrund rückt, muß darum eine Betrachtungsweise treten, welche die historische Spannweite der neutestamentlichen Zeugnisse und der in diesen greifbaren Traditionen und Schichten stärker berücksichtigt. Bei einem solchen Vorgehen wird sich zeigen, daß das christologische Bekenntnis wesentlich vielschichtiger strukturiert ist, als es eine an den Würdetiteln orientierte Christologie erkennen läßt.

Es ist also richtiger, von übergreifenden Heilsvorstellungen auszugehen, die sich in zahlreichen Traditionsformulierungen der frühen Gemeinde, also etwa in Glaubensformeln, in Bekenntnissen, in Hymnen und in Traditionsstücken, erhalten haben. Auf diese Weise gelingt es, bestimmte soteriologisch-christologische Aussagekomplexe in ihrer lebendigen Funktion zu erhellen und die Christologie vor der Gefahr einer statischen Verfremdung zu schützen. Die frühe Christologie ist eindeutig dynamisch. Es ist darum erforderlich, nach einer Methode zu suchen, welche die christologischen Würdenamen zurückführt auf ihre geschichtlichen Ursprünge und ihre Vorgeschichte im Glaubensleben der Gemeinde erkennen läßt.

II. GATTUNGEN UND FORMEN DES BEKENNTNISSES

Das christologische Bekenntnis des Neuen Testaments hat verschiedene literarische Gattungen und Formen geschaffen. Sie sind Ausdruck von ganz bestimmten Lebensäußerungen und Bedürfnissen der frühchristlichen Gemeinde. Die Arbeiten der Formgeschichtler haben die Gesetze der Bekenntnisrede freigelegt und Einblick in ein reich strukturiertes Gemeindeleben gegeben. Neben den *knappen Glaubensformeln,* welche in gedrängter Form die Kerngehalte überliefert oder auch im Gottesdienst feierlich bekannt haben (1 Kor 15,3ff; Röm 1,3f), gab es die *Akklamation.* Ihr Kennzeichen ist die prägnante Kürze. Das Bekennen geschieht bewußter als in den Formeln (1 Kor 8,6; Röm 10,9). Ein hoher Titel, dessen Anspruch eindeutig ist, wird öffentlich ausgerufen. Die *Doxologie* ist stark liturgisch geprägt. Gottes Heilstaten in Jesus Christus werden lobend und preisend in kurzen Sätzen ausgesprochen (2 Kor 1,3; Eph 1,3; 1 Petr 1,3). Die bis jetzt aufgezählten homologischen und kerygmatischen Traditionsstücke konnten und wollten nicht den *Bericht von Gottes Heilshandeln* verdrängen, im Gegenteil, dieser wird geradezu vorausgesetzt. Man darf mit Recht fragen, ob nicht am Anfang überhaupt literarische Einheiten gestanden haben, die erzählend ein Bekenntnis ablegten. Es muß jedenfalls beachtet werden, daß das kerygmatische und das erzählerische Motiv keine Gegensätze sind, sondern notwendige Ergänzungen. Das gilt auch für die *Christushymnen,* die im Unterschied zu den kurzen Bekenntnisformeln in preisendem Stil und in liedhafter Form die Heilsperson oder das Heilsgeschehen feiern (Phil 2,6-11; Kol 1,15-20).

Die Grenzen zwischen den einzelnen Formen des urchristlichen Bekennens können nicht mehr exakt gezogen werden. Es gibt vielfache Überschneidungen und Motivverwandtschaften. Trotzdem ist es grundsätzlich möglich, mit Hilfe der Formanalyse auf die thematischen Besonderheiten aufmerksam zu machen. »Die Vielfältigkeit der Traditionsformen geprägten Gutes macht klar, daß diese Einzeltraditionen nicht als Fragmente eines neutestamentlichen Credo verstanden werden dürfen. Sie sind vielmehr aus ihren jeweiligen formgeschichtlichen und theologischen Zusammenhängen heraus zu verstehen.«[1]

Es kann sich hier wiederum nicht darum handeln, eine umfassende Zusammenstellung der urchristlichen Formelsprache und ihrer christologischen Gehalte vorzulegen. Vielmehr soll nur anhand einiger ausgesuchter Beispiele auf die Reichhaltigkeit und Differenziertheit des Bekenntnisses aufmerksam gemacht werden, um auf diese Weise der durch die Titelchristologie verursachten statischen Verengung entgegenzuwirken. Auf eine inhaltliche Bestimmung aller Formeln soll schon am Anfang hingewiesen werden: ihre gemeinsame kerygmatische Mitte ist das österliche Bekenntnis. Bei aller Unterschiedlichkeit in Sprache und Gehalt sollte dieses wohl beachtet werden.

1. GLAUBENSFORMELN

Die »Glaubensformel« bietet eine knappe Zusammenfassung der wesentlichen Gehalte der Verkündigung und des Bekenntnisses der Urgemeinde. Es ist nicht unberechtigt, aufgrund formaler und inhaltlicher Kriterien zwischen zwei Typen zu unterscheiden, die auf den unterschiedlichen »Sitz im Leben« hinweisen.[2] Die *kerygmatische Formel* stellt mehr die Sachaussage und ihre fordernde Verpflichtung in den Vordergrund. Sie will als knappes Summarium des verbindlichen Glaubensgehaltes verstanden werden (1 Kor 15, 3ff). Die *Bekenntnisformel* ist ein Stück Homologie. Ihre Grundlagen sind vielleicht im jüdischen Monotheismus zu suchen. »Mit dieser Homologie stellt das Judentum sich zugleich in Relation zu seiner Umwelt: es bekennt den Glauben an den *einen* Gott gegenüber dem Götter- und Kaiserkult.«[3] Durch die Bezugnahme auf

---

[1] *Balz*, Methodische Probleme 181.
[2] Vgl. *G. Bornkamm*, Formen und Gattungen im NT, in: RGG[3] II, 999-1005; *Schneider*, Jesus Christus 91ff.
[3] *Zimmermann*, Methodenlehre 169.

Jesus Christus hat die Formel eine ganz entscheidende Transformation und inhaltliche Ausweitung erhalten. Die Übergänge zwischen den einzelnen Typen sind so fließend, daß reine Formen nur noch in den seltensten Fällen erarbeitet werden können. Das ist auch nicht weiter verwunderlich, da ja die dahinterstehenden Grundvollzüge von Verkündigung und Bekenntnis ebenfalls ineinander übergreifen.

Die bekannteste Traditionsformel liegt 1 Kor 15,3-5 vor. Der sprachliche Nachweis[4] hat ergeben, daß die Formel in ihrem Grundbestand auf die älteste palästinensische Gemeinde zurückgehen muß. Es besteht in der Forschung Einigkeit darüber, daß die Formel in ihrem ältesten Bestand folgende Gestalt hatte: »Christus ist für unsere Sünden gestorben gemäß den Schriften, und ist begraben worden.

Und er wurde auferweckt am dritten Tag gemäß den Schriften, und erschien dem Kepha, dann den Zwölfen« (15,3-5).

Die V. 6-8 sind spätere Zusätze. Die Formel besteht also aus vier Zeilen, die nach dem Modell a—b, a'—b' aufgebaut sind. Zeile a und a' sprechen vom Tod und von der Auferweckung und verstehen beide Ereignisse als Erfüllung der Schrift. Der Tod wird gedeutet als Erlösungsgeschehen, er geschah »für unsere Sünden«. Bei der Auferweckung findet sich die Zeitangabe »am dritten Tage«. In den Zeilen b und b' entsprechen sich der Hinweis auf die Grablegung und auf die Erscheinung des Auferstandenen vor den Zeugen. Es geht hier um die Bestätigung dessen, was jeweils in der vorausgegangenen Zeile a und a' ausgesagt worden ist.

Die Rolle dieser Formel ergibt sich aus ihrer Einführung: in V. 3 ist vom »Überliefern« und vom »Empfangen« die Rede. Es handelt sich also um die Verkündigungsgehalte, welche in einer »Lehrformel« zusammengefaßt sind und durch den Apostel »überliefert«, von der Gemeinde »empfangen« werden. Hier tritt das Moment der Tradition ins Blickfeld. Die sichere Weitergabe der Kerngehalte soll die Einheit und Selbigkeit des Evangeliums über die Zeit hinaus garantieren. Im Zentrum dieser frühen Formel steht das Ereignis des Todes und seine Bestätigung durch die Auferwek-

---

[4] Vgl. *Jeremias*, Abendmahlsworte 95f.

kung. Besondere Beachtung verdient die Beobachtung, daß die inhaltlichen Aussagen über Kreuzestod — Begrabenwerden — Auferweckung — Erscheinung vor mehreren Zeugen im Kern bereits den Versuch erkennen lassen, ein heilsgeschichtliches Nacheinander aufzuzeigen.[5] Die Glaubensformel hat bereits in ihren Anfängen eine erzählerische Motivation, die in der ältesten Tradition des Kreuzigungsberichtes noch deutlicher ausgeprägt ist. Das früheste Bekenntnis hat eine historische Komponente, und das Kerygma von Kreuz und Auferweckung drängt hin zur geschichtlichen Ausfaltung im Evangelium.

Eine andere Gruppe von frühen Verkündigungsformeln nennt lediglich die Auferweckung Jesu durch Gott und erwähnt den Kreuzestod überhaupt nicht (vgl. Röm 10,9; 4,24; 8,11; 1 Kor 6,14; 2 Kor 4,14; Gal 1,1; Eph 1,20; Kol 2,12; 1 Thess 1,10; 2 Tim 2,8; 1 Petr 1,21; Apg 13,30.37). Manche Exegeten vermuten, daß es sich hier um die früheste Fassung des Bekenntnisses handelt. Eine Entscheidung ist in dieser Sache jedoch äußerst schwierig. Unsere Beobachtungen zum ältesten Kreuzigungsbericht machen deutlich, daß es offenbar unterschiedliche soteriologische Ansätze für die Glaubensformeln gegeben hat.[6]

Eine weitere Gruppe von frühen Glaubensformeln ist zu erkennen an der Wendung »für uns hingegeben« (vgl. Röm 8,32; Gal 1,4; 2,20; Eph 5,2.25; 1 Tim 2,6; Tit 2,14). An diesen Formeln fällt der Stellvertretungsgedanke auf, den wir in der paulinischen Traditionsformel 1 Kor 15,3-5 unter dem Stichwort »für unsere Sünden« bereits registriert haben.

2. Akklamationen

Von den im letzten Abschnitt genannten Formeln sind die Akklamationen zu unterscheiden. Der Zuruf »Kyrios Jesus« (1 Kor 12,3) oder »Kyrios Jesus Christus« (Phil 2,11) hat genügend religionsgeschichtliche Parallelen. Vielleicht hat uns die Apostelgeschichte mit dem Ruf der von dem Silberschmied Demetrius aufgehetzten

---

[5] Vgl. *Gnilka*, Jesus Christus 44-60.
[6] Vgl. zum Ganzen *Deichgräber*, Gotteshymnus 107-117.

Menge »Groß ist die Artemis von Ephesus« (Apg 19,28) ein Beispiel überliefert.

Daß die Akklamationen zur inhaltlichen Explikation drängen, zeigt Röm 10,9 ganz deutlich. Das »Bekenntnis mit dem Munde« kann nicht isoliert dastehen. Es setzt voraus, daß man auch »in dem Herzen glaubt, daß Gott ihn vom Tode erweckt hat«. Beide Aussagen umschreiben, wie vorausgehend (V. 8) festgestellt wurde, das »Wort des Glaubens, das wir verkünden«. Von hier aus ist es nur noch ein Schritt zu dem evangeliaren Bekenntnis, welches die homologischen Sätze vor der Gefahr der Entgeschichtlichung schützt.[7]

Das Ineinanderübergreifen verschiedener Formen des Bekenntnisses ist im Philipperhymnus noch offenkundiger. Der Ruf »Kyrios Jesus Christus« (2,11) hat alle Merkmale der Akklamation. Der Kontext nennt ihn aber auch eine »Exhomologese« (2,9), also ein Bekenntnis. Dieses findet sich im Rahmen eines liturgischen Liedes. Zu den bisher genannten Formen ist also als weitere der Lobpreis hinzugekommen (vgl. Röm 14,11; 15,9). In der speziellen Form der Anrufung des einen Herrn Jesus Christus kann die Kyrios-Akklamation vielleicht auf das jüdische Bekenntnis zum einen Gott zurückgehen. Paulus grenzt den christlichen Glauben 1 Kor 8,6 von der Vielgötterei der Heiden ab und stellt mit Betonung heraus, daß es für sie, die Christen, »nur einen Gott, den Vater, aus dem alles ist, ... und einen Herrn Jesus Christus, durch den alles ist« gibt.

Die besonderen Verhältnisse einer heidenchristlichen Gemeinde und der polemische Klang des Bekenntnisses machen es jedoch wahrscheinlich, daß die bekannten hellenistischen Götterakklamationen die paulinische Formelsprache ganz stark beeinflußt haben. Der Apostel warnt vor den Einflüssen der heidnischen Umwelt. Im Gegensatz zu den sogenannten Kyrioi der Heiden ist Jesus der eine wirkliche Kyrios, der diesen Titel mit Recht beanspruchen kann.

Neben der knappen Akklamation, welche sich darauf beschränkt, durch die bloße Nennung des Namens Anspruch und Anerkennung geltend zu machen, kennt das Neue Testament das Christusbekenntnis in der erweiterten Form eines Prädikatsatzes. Es findet

---

[7] Vgl. *Mußner*, Christologische Homologese 66.

sich, da es sich ja vor allem um die Form der direkten Anrede handelt, in den Evangelien und gelegentlich auch in der Apostelgeschichte. H. Schlier nennt diese Form »das Echo der bekennenden Stimme der Urkirche in den Evangelien«.[8] Dementsprechend werden nur solche Namen ausgewählt, die für die vorausgesetzte Situation Bekenntniswert haben. Das sind die Titel »Christus-Messias« (Mt 16,16.20; 26,63; Mk 14,61; Lk 4,41; 22,67; Apg 9,22; 18,5; 17,3; Joh 7,26.41; 10,24; 11,27; 20,31 u. ö.), »Sohn Gottes« (Mt 16,16; Lk 4,41; Mk 1,11 par; 9,7; Apg 8,37; 9,20; Joh 1,34.49; 10,36; 11,27 u. ö.), »Sohn Davids« (Mt 12,23; Apg 8,37; 9,20 u. ö.). Weitere Prädikationen im Stil des Prädikatsatzes sind: »Heiland der Welt« (Joh 4,42), »der Menschensohn (Joh 3,13; 5,27; 9,35-37), »der Prophet« (Joh 6,14; 7,40), »der Heilige Gottes« (Joh 6,69), »der König der Juden« (Joh 18,33) und außerhalb der synoptischen Evangelien auch gelegentlich der Kyrios-Titel (Joh 20,28, zusammen mit »Gott« Apg 11,20; 10,36).[9] Diese rein formalen Unterscheidungen lassen erkennen, daß es eine Vielfalt von inhaltlichen Bestimmungen des frühen Christusglaubens gegeben haben muß. Die umfassende Klammer ist bei allen die Überzeugung, daß Jesus, der Gekreuzigte, jetzt der Lebende ist.

3. CHRISTUSHYMNEN

Für die Anfänge der Christologie bilden die Christushymnen eine Erkenntnisquelle ersten Ranges. Formgeschichtlich unterscheiden sie sich von den Verkündigungsformeln und homologischen Prädikationen durch ihre gottesdienstliche Herkunft. Sie sind also nicht Elemente der Lehre, sondern des Kultes. Die Übergänge sind zwar recht fließend, aber Sprache, Stil und Aufbau weisen die einzelnen Stücke eindeutig als Lieder aus, deren »Sitz im Leben« der frühchristliche Gottesdienst ist.
Inhaltlich beziehen sich die Christushymnen auf das Heilshandeln Gottes in Jesus Christus. Ihr Themenkreis geht jedoch über die zentralen Heilsereignisse von Tod und Auferweckung hinaus. Die

---

[8] *Schlier*, Anfänge 17.
[9] Vgl. *Schlier*, aaO. 17-20. *Peterson*, Εἶς Θεός 171.

Inkarnation und Fleischwerdung des Logos — teilweise als in sich selbständiges Heilsgeschehen verstanden — dehnt das urchristliche Kerygma nach rückwärts bis hin zu den ersten Anfängen, während die Erhöhung zum Kyrios und die Einsetzung in die Weltherrschaft die Heilsverkündigung nach vorne hin öffnet und ihren eschatologischen Charakter ausweist. Der Christushymnus verbindet ferner mit den Heils- und Erlösungsaussagen christologische Wesensaussagen, die eine zunehmende Reflexion über das, was Jesus ist, erkennen lassen.

All das ist für die Gemeinde Gegenstand von Lobpreis, Dank und Bitte. Das, was in der Verkündigung gesagt wurde und im Bekenntnis angenommen worden ist, wird nun singend und preisend aufgenommen und im Gottesdienst in Dankbarkeit ausgesprochen. Zur formalen Gestalt sei angemerkt, daß unterschieden werden kann zwischen proklamatorischen Hymnen (Er-Stil) und anbetenden Hymnen (Du-Stil). Das Neue Testament kennt nur die erste Form.[10]

Wir wollen nun auf zwei Traditionsstücke eingehen, die typisch sind für die Gattung des Christushymnus. Es handelt sich um die beiden Lieder Phil 2,6-11 und Kol 1,15-20. Beide gehen über die Kernthemen der paulinischen Christologie Kreuz und Auferwekkung weit hinaus. Auffallend ist auch das Fehlen der soteriologischen Wendung »für unsere Sünden« (1 Kor 15,3) bzw. das einfache »für uns«. Dafür werden Aussagen über das Wesen Christi gemacht, die sich vor allem auf die Präexistenz beziehen. Es handelt sich jedoch nicht um einseitig spekulative Reflexion, welche losgelöst ist von dem soteriologischen Hintergrund. Das Christusergehen, vor allem die Auferstehung Christi, muß immer als der Ausgangspunkt der einzelnen Wesensaussagen verstanden werden. Wenn also gesagt wird, daß er in der Gestalt Gottes war (Phil 2,6), daß er Gott gleich war, dann muß das bezogen werden auf den theologischen Ausgangspunkt, der in der Erhöhung durch Gott gegeben ist (2,9).

---

[10] Vgl. *Deichgräber*, Gotteshymnus 106.

Phil 2,6-11

Mit den Einzelheiten der Strukturfragen und der formalen Gliederung können wir uns an dieser Stelle nicht beschäftigen. J. Gnilka informiert darüber in seinem Kommentar zum Philipperbrief bestens.[11] Wir wollen vielmehr nur die strophische Gliederung, die in der modernen Forschung allgemein akzeptiert wird, vorlegen:

I 6 Der in der Daseinsweise Gottes sich befand
    hielt nicht gierig daran fest, Gott gleich zu sein,
  7 sondern er entäußerte sich selbst
    die Gestalt eines Sklaven annehmend,
  ein Gleichbild der Menschen wurde er
    und im Äußern erfunden als Mensch
  8 erniedrigte er sich selbst
    wurde gehorsam bis zum Tode (zum Tode am Kreuz).

II 9 Deshalb hat Gott ihn auch so sehr erhöht
    und ihm den Namen gegeben, der über alle Namen,
  10 damit im Namen Jesu jedes Knie sich beuge
    der Himmlischen und Irdischen und Unterirdischen
  11 und jede Zunge bekenne: Herr (ist) Jesus Christus
    zur Ehre Gottes des Vaters.

Sprachliche und theologische Argumente weisen das Stück als ein vorpaulinisches Lied aus; nicht das Schema von Kreuz und Auferstehung ist bestimmend, sondern das von Erniedrigung und Erhöhung. Die Erniedrigung bleibt nicht bei der Inkarnation stehen, sondern sie wird nach rückwärts ausgeweitet bis zur Präexistenz. Ferner fällt auf, daß das für Paulus typische »für uns« bei der Deutung des Kreuzes fehlt, welches das Kreuzesgeschehen in seiner soteriologischen Bedeutung für die Gemeinde verständlich macht. Aus diesen Gründen und auch aus verschiedenen sprachlichen Beobachtungen, auf die wir hier nicht einzugehen brauchen, wird

---

[11] *Gnilka*, Philipperbrief 131-147; dort auch Hinweise auf die Gliederungsversuche von *Lohmeyer*, Kyrios Jesus 4-7: der Hymnus besteht aus sechs Strophen zu je drei Zeilen, und *J. Jeremias*, Zu Phil II 7: ΕΑΥΤΟΝ ΕΚΕΝΩΣΕΝ; NovT VI (1963) 182-188: der Hymnus besteht aus drei Strophen zu je vier Zeilen.

man annehmen dürfen, daß es sich im Christushymnus um ein vorpaulinisches Traditionsstück handelt.[12]

J. Gnilka hat darüber hinaus mit einsichtigen Gründen nachgewiesen, daß dem Hymnus zwei verschiedene Bekenntnisfragmente zugrundeliegen. Das eine geht von dem Gedankenkreis der »Gottesgestalt« aus (V. 6 und 7), das andere deutet das Christusgeschehen mit den Vorstellungen von Erniedrigung und Erhöhung (Christus, der Erniedrigte wird zum Kyrios-Richter erhöht). Dieses Stück liegt in den V. 8-11 vor. Der vorpaulinische Dichter habe auf eine geschickte Weise beide Stücke miteinander verbunden und mit einer neuen Zielsetzung ausgestattet. Der Hymnus ist in seiner jetzigen Gestalt ein einheitliches Stück christologischer Verkündigung, die hier in der Gestalt des kultischen Liedes vorgelegt wird.[13] Wir sollten uns den Einzelelementen in Kürze zuwenden.

Christologisch bedeutsam sind die Aussagen über die Gottesgestalt und Gottgleichheit (V. 6), sowie über die Erhöhung und Einsetzung zum Kyrios (V. 9-11). Dazwischen liegt die Niedrigkeitsaussage mit den Motiven der Selbstentäußerung (V. 7), Annahme der Sklavengestalt (V. 7) und der Erniedrigung bis zum Tod (V. 8). Am Anfang des Gedankengangs steht nun nicht, wie man vermuten könnte, die Reflexion über den Präexistenten in der Daseinsweise Gottes, sondern, wie R. Schnackenburg richtig herausgestellt hat[14], die Erhöhung, welche in diesem Fall die Auferstehung impliziert. »Die Urkirche hat von der Auferstehung beziehungsweise Erhöhung Christi her gedacht und ihren kultischen Lobpreis angesetzt ... Der Blick auf die Präexistenz Christi öffnet sich durch die rückgreifende Reflexion über die Erniedrigung Christi, welcher ein Sein bei Gott, in der ›Gestalt Gottes‹, in einem Herrlichkeits-

---

12 Ob der »Sitz im Leben« die Eucharistiefeier (so *Lohmeyer*, Kyrios Jesus 65f; *Lietzmann*, Messe 178f) oder die Tauffeier (so *Käsemann*, Kritische Analyse von Phil 2,5-11 in: Exegetische Versuche I 95; *Jervell*, Imgao Dei 206-208) ist, kann mit Sicherheit nicht mehr bestimmt werden. Man wird sich mit der allgemeinen Feststellung begnügen müssen, daß der Hymnus im Gottesdienst der Gemeinde seinen ursprünglichen Sitz hat.

13 *Gnilka*, Philipperbrief 137f.

14 *Schnackenburg*, Kol 1,15-20: 37.

status vorausgegangen sein muß.«[15] Die Präexistenzaussagen von Strophe 1 sind also gewissermaßen das »Widerlager« zur Erniedrigung und Erhöhung Christi.

Es bleibt festzuhalten, daß hier über die Gottgleichheit des Präexistenten und über seine Gottesgestalt nachgedacht wird; das eine Mal geht es mehr um die Daseinsweise (». . . es ist die das Sein von seinem Wesen her prägende Daseinsweise«)[16], das andere Mal wird die Stellung betont. Der Präexistente hatte eine gottgleiche Würdestellung inne.

Solch hohe Beschreibungen standen nicht am Anfang der Christologie; sie sind vielmehr aus der Niedrigkeitsaussage, die ja stärker im Erfahrungsbereich der frühen Gemeinde gelegen hat, herausgewachsen. Der Reflexion über das, was vorausging, entspricht das Bewußtmachen dessen, was auf die Erniedrigung folgt: Gott hat ihn erhöht — er hat ihm einen Namen gegeben, aufgrund dessen er als der Kyrios anerkannt wird. Für die Erhöhungschristologie der V. 9-11 muß der alttestamentliche und der hellenistische Hintergrund in gleicher Weise berücksichtigt werden. Was in dem Jesajazitat (45,23) von Jahwe ausgesagt wird (»Jedes Knie wird sich beugen vor mir, jede Zunge mir huldigen«), das wird jetzt Christus zugesprochen. Durch die Bezugnahme auf die himmlischen Mächte und Gewalten, welche im griechisch-hellenistischen Denken eine schicksalhafte Rolle spielten — sie waren die κοσμοκράτορες, sie forderten Verehrung und Huldigung, in ihrer Hand lag nach den zeitgenössischen Vorstellungen die Herrschaft über den Kosmos und über das Schicksal des einzelnen — wird der kosmische Bezug der Christusherrschaft ins rechte Licht gerückt. Ohne Zweifel geben die orientalisch-hellenistischen Beiklänge der Kyriosproklamation der Herrschaft des Christus einen weltweiten Rahmen. Trotzdem darf nicht übersehen werden, daß die Inthronisation begründet wird mit dem Hinweis auf die Erniedrigung. Es ist »Inthronisation des Gehorsamen auf Erden«.[17] Es wird sichtbar, wie E. Käsemann sagt, daß »der Gehorsame die Gehorsamen aus

---

[15] *Schnackenburg*, aaO. 37.
[16] *Gnilka*, aaO. 114. Zu den unterschiedlichen Deutungen des religionsgeschichtlichen Hintergrundes vgl. 138-147.
[17] *Käsemann*, aaO. 95.

sich heraussetzte«.[18] Die kosmologische Prädikation wird begründet und zugleich neu interpretiert durch das soteriologisch-eschatologische Christusgeschehen. Dieses ist nicht zu übersehen, wenngleich doch der Hauptakzent auf der Hoheitsaussage liegt.

Wir können abschließend zur Frage nach der Christologie des Philipperhymnus feststellen: Die göttliche Würde des Christus wird — wenngleich noch unpräzise — in der gottesdienstlichen Feier besungen. Es wird nachgedacht über das Sein des Christus vor seiner »Erniedrigung«. Das macht zugleich deutlich, daß eine so hohe Christologie sich niemals entfernt von der Mitte aller Christologie, vom Kreuz und von der Auferstehung.

Kol 1,15-20

Das klassische Beispiel für eine kosmische Christologie ist der Christushymnus des Kolosserbriefs (1,15-20). Wir haben es hier mit einem Stück frühester Liturgie zu tun. Die Perikope läßt sich in zwei Strophen aufgliedern. Übereinstimmungen im Aufbau, im Sprachrhythmus und in typischen Formulierungen (V. 15 = V. 18a: »dieser ist«; V. 16 = V. 19: »denn in ihm«; V. 15 = V. 18b: »Erstgeborener«) machen die parallele Struktur deutlich. Die erste Strophe bezieht sich auf Christus, den Herrn der Schöpfung (V. 15-18a), die zweite auf Christus als den Herrn der Erlösung und Versöhnung (V. 18b-20).

Innerhalb des ganzen Hymnus muß man unterscheiden zwischen einer ursprünglichen Form, welche die hoheitlich-herrscherliche Stellung Christi stark betont und die Gefahr eines triumphalistischen Mißverständnisses nicht deutlich ausschließt, und der redaktionellen Ergänzung des Endverfassers, welcher mit einigen kräftigen Strichen auf die Funktion der Kirche hinweist, vor allem aber auf das Kreuz als den eigentlichen Ort der Versöhnung. Damit werden auch für den Weg der Gemeinde in dieser Zeit deutliche Zeichen gesetzt. Der Text muß wie folgt gegliedert werden[19]:

---

[18] aaO. 95.
[19] Über die mannigfaltigen Gliederungsversuche unterrichtet ausgezeichnet *Gabathuler*, Jesus Christus.

66

| *Ursprünglicher Hymnus* | *Ergänzungen* |

K o s m o l o g i s c h e r T e i l

15a) ER IST BILD
  c) ERSTGEBORENER
    aller Schöpfung

b) Gottes des unsichtbaren

16a) *Denn in ihm* wurde
    geschaffen das All
  b) in den Himmeln und
    auf Erden

c) das Sichtbare und das Un-
  sichtbare, Throne, Herr-
  schaften, Mächte und
  Gewalten,

  d) das All ist durch ihn und
    auf ihn hin geschaffen
17   und er ist vor allem und
    das All hat in ihm Bestand
18a) und er ist das Haupt des
    Leibes

der Kirche.

S o t e r i o l o g i s c h e r T e i l

18b) ER IST ANFANG
  c) ERSTGEBORENER
    aus den Toten

d) damit er in allem der
  Erste sei

19a) *denn in ihm* hat es (Gott)
    gefallen
  b) die ganze Fülle wohnen zu
    lassen
20a) und durch ihn zu versöh-
    nen das All auf ihn hin
  b) Frieden stiftend
    durch ihn

c) durch das Blut seines
  Kreuzes
  d) was auf Erden und was in
    Himmeln ist.

Der Ausdruck »Bild Gottes« ist aus dem Sprachgebrauch der spätjüdischen Weisheitsspekulationen zu erklären.[20] Die christlichen Gemeinden haben sicher in diesen geistigen Bereichen Anleihen gemacht, um die Würde des erhöhten Christus ins rechte Licht zu rücken. Christus ist für die Gemeinde das Bild Gottes; in ihm wird Gott zugänglich, Gott läßt in Jesus Christus sein Antlitz aufleuchten.

Bei der Prädikation »Erstgeborener« handelt es sich um einen Würdenamen. Er ist nicht etwa der Erstgeschaffene, sondern als der mit dem Erstgeburtsrecht ausgestattete Sohn steht er vor der Schöpfung und über der Schöpfung. Nicht von einem zeitlichen Vorsprung wird hier gesprochen, sondern von einem Vorrang.[21]

Die hoheitliche Stellung Christi hat sich in seiner Beteiligung am Schöpfungswerk gezeigt. In dreifachem Anlauf wird das proklamiert: »in ihm — durch ihn — auf ihn hin«. Diese Formulierung dient zunächst der Vertiefung der frühesten Christologie. Denn die Gemeinde wird sich jetzt bewußt, daß Christus Ursprung, Mittler und Ziel der gesamten Schöpfung ist.[22] Weiter sind damit wohl auch bestimmte apologetische Intentionen verbunden worden. Der dreifache Hinweis auf »Ihn« läßt vermuten, daß bestimmte häretische Gruppen den Herrschaftsbereich des erhöhten Christus einschränken wollten. Dem wird hier mit Entschiedenheit entgegengewirkt: alles ist ihm unterstellt, ohne Ausnahme.

---

[20] Vgl. *Kehl*, Christushymnus 54-81; *Schweizer*, Kolosser 10-13. Zum Begriff Eikon *Eltester*, Eikon; *Jervell*, Imago Dei 245-259; *Hegermann*, Schöpfungsmittler 96-98: »... nur daß in Sap die Eikonlehre nur am Rande berührt wird« (97). Für Hegermann ist der Begriff von Plato und von Philo her zu erklären.

[21] Auch diese Aussage knüpft an die jüdischen Weisheitsspekulationen an; vgl. *Lohse*, Kolosser und Philemon 87f.

[22] Zu den Vorstellungen von Christus, dem Schöpfungsmittler, gibt es in der jüdischen Weisheitsliteratur zahlreiche Parallelen, vgl. *Lohse*, aaO. 88-92. Der Gedanke von Christus, dem Ziel der Schöpfung, kann von dort her allerdings nicht begründet werden. Hier führt die Interpretation von *Käsemann*, Eine urchristliche Taufliturgie, in: Exegetische Versuche I 34-51 weiter. Käsemann beruft sich auf den Urmensch-Erlösermythos, der den eschatologischen Charakter des »auf ihn hin« verständlich macht.

Schließlich hat die Formulierung »in ihm — durch ihn — auf ihn hin« kosmische Bedeutung. Die Welt entstammt nicht dem Zufall, sie ist vielmehr gegründet in Gottes Plan, in welchem Christus eine wichtige Rolle spielt. Die Welt ist aber auch jetzt in der Hand Gottes; »durch ihn« sorgt sich Gott um die Welt, nicht erst in der Erlösungsordnung, sondern bereits in der Schöpfungsordnung. Der Lauf der Welt geht endlich nicht ins Ungewisse, denn sie ist von Anfang an auf Christus hin orientiert (Eph 1,10). Sie hat in Christus ihren Anfang, ihre Mitte und ihr Ziel.

Christus ist auch *vor* allem. Ihm kommt das zeitliche »prae« zu, welches einen Vorrang begründet. Er hält die Welt zusammen und garantiert ihren Bestand. Wenn man solch ungewöhnliche Aussagen verstehen will, muß man sich wieder den geistesgeschichtlichen Hintergrund vor Augen halten: Es gab in der Gemeinde von Kolossä Gruppen, welche eine kosmisch-pantheistische Weltdeutung vertraten und verschiedene Prinzipien des Daseins verehrten. Christus wurde nicht geleugnet, aber der Vorrang wurde ihm streitig gemacht. Er steht nicht über den Weltelementen, sondern gehört zu ihnen.[23] Ein solches Mißverständnis wird durch das betonte »Er« zurückgewiesen.

Die Feststellung »Er ist das Haupt des Leibes« unterstreicht noch einmal den absoluten Vorrang Christi. Entsprechend den Vorstellungen der Antike, welche den Kosmos als ein lebendiges Ganzes verstand, muß man hier zunächst an den »Weltleib« denken. Von diesem kosmischen Leib wird nun gesagt, er habe in Christus sein Haupt (= Oberhaupt) gefunden. Den Menschen, welche in ständiger Angst vor den dämonischen Weltmächten lebten, wird hier Trost zugesprochen: Christus, das Haupt, ordnet alles und hält alles zusammen. In ihm ist Heil, in ihm allein.[24]

---

[23] Zur Irrlehre in Kolossä vgl. *Ernst*, Pleroma 96-98. Dort auch weitere Literaturhinweise.

[24] Die Vorstellung vom Kosmos als »Leib« ist in der Antike weit verbreitet; vgl. *Ernst*, aaO. 154-156. Schwierigkeiten bereitet allerdings die Vorstellung vom Haupt des kosmischen Leibes. Hier versagen die stoischen und auch die jüdischen Parallelen, während der gnostische Urmensch-Erlösermythus weiterhelfen könnte. Vgl. *Ernst*, aaO. 162-164.

Nun wird allerdings, gewissermaßen nachhinkend, der Leib auf die Kirche bezogen. Die einheitliche kosmisch-christologische Orientierung des Hymnus wird dadurch gestört. Offenbar wird hier die Hand eines Redaktors sichtbar, der mit einigen kräftigen Strichen die kosmische Christologie auf ihre soteriologischen Ursprünge zurückführt (vgl. auch V. 20b) und die Kirche mit ins Spiel bringt. Hier bahnt sich ein verändertes Kirchenverständnis an. Die Kirche ist nicht mehr die kleine Gemeinde, sondern die Großkirche, die sich verantwortlich weiß für das Heil *der Welt*. Als Haupt des kosmischen Leibes ist Christus auch Haupt des Leibes der Kirche. Der Verfasser greift die von Paulus vorbereitete Gemeindetheologie auf, welche im Bild vom Leib das Zueinander und Miteinander der einzelnen Glieder darstellt (1 Kor 12,12-27; Röm 12, 4-8), und ergänzt sie durch die Übertragung der kosmisch-hoheitlichen Hauptprädikation auf Christus, den Herrn und Lebensspender der Kirche.

Hier setzt die zweite Strophe des Hymnus ein, die soteriologisch orientiert ist. Christus, der am Anfang der Schöpfung steht, ist auch Anfang der Erlösung. In seiner Auferweckung hat Gott der neuen Schöpfung den Anfang gegeben; der Erstgeborene aller Schöpfung ist auch Erstgeborener aus den Toten. Christus eröffnet in seiner Auferweckung ein neues Geschlecht, er sammelt in seinem Leib die Gemeinde der Miterweckten (Röm 8,29). Als Erstgeborener hat er Vorrang, in der Erlösung genauso wie bei der Schöpfung, er ist der Erste. Seit Ostern und kraft Ostern steht der Erhöhte herrscherlich und lebensspendend über der Gemeinde.

Dieser Vorrang zeigt sich auch darin, daß nach dem Gefallen Gottes in ihm die Fülle wohnt. Auch das muß apologetisch verstanden werden. Die Irrlehrer von Kolossä sprachen den Weltelementen πλήρωμα, die Fülle, zu. Der Hymnus betont dagegen: *in ihm* ist die ganze Fülle des göttlichen Lebens und der göttlichen Liebe (2,9). Man wird das πλήρωμα nicht einseitig auf die göttliche Wesenheit einschränken dürfen — auch das ist natürlich hier gemeint (vgl. Joh 1,14). Darüber hinaus darf man aus der Formulierung »ganze Fülle« die Zusammenfassung von göttlicher und geschöpflicher Wirklichkeit in Christus heraushören, welche in der

Inkarnation ihren Anfang nahm und in Kreuz, Auferweckung und Erhöhung einen vorläufigen Abschluß gefunden hat.[25]

So ist es verständlich, daß nun von der Versöhnung des Alls gesprochen wird. Es mag sein, daß die frühe Gemeinde zunächst nur unvollkommene, vielleicht sogar verzerrte Vorstellungen von der Versöhnung des Alls hatte. Die weltweite Sehnsucht nach dem großen Frieden und dem Weltheiland mag hier eine Rolle gespielt haben.[26] Die Ergänzung: »durch das Blut seines Kreuzes« setzt hier wichtige Akzente. Hier ist der Ort der wahren Versöhnung, im Kreuz Christi und im Blut Christi.

Solche Versöhnung bezieht sich zunächst auf die sündige Menschheit (vgl. 2 Kor 5,20; Röm 5,7.8.10; 8,31b-32a).[27] Aber der außermenschliche Bereich darf sicher nicht ausgeschlossen werden. Für bestimmte Bezirke von Welt kann hier natürlich nur an hoheitlich-herrscherliche Unterwerfung gedacht werden, denn nach wie vor gibt es ja das »Nein« zum Angebot der göttlichen Versöhnung. Aber Versöhnung bedeutet auch Schaffung neuer Verhältnisse innerhalb der Welt. Die Dinge erhalten eine neue Orientierung und eine andere Ordnung. Sie werden Lebensraum für den erlösten Menschen.[28]

Es kann nicht übersehen werden, daß die Christologie des Kolosserhymnus über das im Philipperhymnus Gesagte noch hinausgeht. Christus wird nicht nur als der Kyrios gefeiert; es wird darüber hinaus noch gesagt, daß es Gott gefallen hat, »durch ihn zu versöhnen das All auf ihn hin« (V. 19.20). Wir können an dieser Stelle auf die komplizierte Frage einer durch Christus herbeigeführten kosmischen Versöhnung nicht eingehen. Es sei nur soviel gesagt, daß Kreuz und Erhöhung des Christus aufeinander bezogen sind und daß die bekannte Vorstellung von der kosmischen Herrschaft durch den Rückbezug auf die im Kreuzesblut geschehene

---

[25] Vgl. *Ernst*, aaO. 82f.

[26] Vgl. *Käsemann*, aaO. 37.

[27] Vgl. *Schweizer*, Kirche 293-316. Sch. denkt an die christliche Mission, in welcher das Wort von der Versöhnung die Welt eschatologisch durchdringt. Vgl. auch *Ernst*, Das Wachstum des Leibes Christi zur eschatologischen Erfüllung im Pleroma, ThG 57 (1967) 164-187.

[28] Vgl. *Benoit*, Leib, Haupt und Pleroma 273.

Versöhnung für die ganze Schöpfung eine neue Orientierung andeutet.

Wie die Beziehungen zu den christologischen Hoheitstiteln ausgesehen haben, wo Überschneidungen stattgefunden haben und wo die Entwicklungen parallel oder auch getrennt voneinander verlaufen sind, kann im einzelnen kaum noch gesagt werden. In manchen Fällen sieht es so aus, als ob der Titel früher war als das hymnische Bekenntnis[29], an anderen Stellen kann man vermuten, daß die inhaltlichen Aussagen zum Titel hinführen und diesen in einem nicht mehr überschaubaren Entwicklungsprozeß freigeben. Unser kurzer Einblick in die religiöse Formelsprache der jungen Gemeinde hat jedenfalls deutlich gemacht, daß die Christologie der Urgemeinde im Anfang nicht statisch gewesen ist, sondern dynamisch-funktional. Darum lag es nahe, nach den christologischen Hoheitstiteln einen Blick zu werfen auf die umgreifenden Heilsvorstellungen, welche die in den hohen Titeln gegebenen Seinsaussagen auf ihren Geschehenscharakter zurückführen.[30]

4. BEKENNTNISERZÄHLUNGEN

Das christologische Bekenntnis, das sich in seinen Anfängen in der knappen Form der Homologie ausgesprochen hat, drängte notwendigerweise auf eine inhaltliche Explikation. Wenn der Anspruch »Jesus ist der Christus« zu Recht besteht, dann muß man das in jenen Bereichen aufzeigen können, die für das Menschsein

---

[29] Vgl. *Gnilka*, Jesus Christus 93: ». . . wir haben das Kyriosbekenntnis in seiner fortschreitenden Entwicklung als eine hervorragende Quelle dafür anzusehen, daß Jesu göttliche Würde erkannt und proklamiert wurde«.

[30] Vgl. *Braun*, Jesus 151: »Im Laufe dieser Entwicklung wird die Autorität Jesu in zweierlei Weise ausgedrückt: man spricht einmal von dem Weg Jesu, den er nach seinem Tode ging, dann auch von der Existenz, die vor seinem irdischen Leben lag; und man bejaht zweitens seine Autorität in der Weise, daß man ihm bestimmte Titel und Würdebezeichnungen verleiht. Beide Ausdrucksformen für Jesu Autorität hängen eng miteinander zusammen. Wenn wir sie hier *nach*einander durchdenken, so dient dies Nacheinander lediglich dem Zweck besserer Einsichtigkeit«.

Jesu maßgeblich sind, das ist seine Vita. Die frühe Gemeinde konnte sich also keineswegs mit dem reinen Bekenntnis zufriedengeben, sie mußte es verankern in Heilstatsachen, die erzählt werden können. Aus diesen Notwendigkeiten ist die in ihrer Art einzigartige und mit nichts zu vergleichende literarische Gattung des Evangeliums entstanden. Mit dem Bekenntnis hat sich der Bericht von Geschehnissen verbunden; beide sind in einer so engen Symbiose miteinander vereint, daß eine Scheidung nicht mehr möglich ist. Das »berichtende« Evangelium ist immer Bekenntnis und das »bekennende« Evangelium immer Bericht. F. Mußner[31] hat auf das eigenartige Zirkelverhältnis dieser beiden Gesichtspunkte hingewiesen und deutlich gemacht, daß einerseits die »christologische Homologese« zu ihrer Verifizierung und zu ihrer Interpretation den Rekurs auf die Geschichte Jesu erforderlich macht und daß andererseits die evangelische Vita aufgrund ihrer Bekenntnisstruktur die Homologese rechtfertigt.

Eine Untersuchung über die Anfänge der Christologie darf sich aus diesen Gründen nicht auf die Homologie beschränken. Sie wird deutlich machen müssen, daß von Anfang an das Erzählen von Heilstaten ein wesentlicher Faktor des Bekennens gewesen ist. Die formgeschichtlichen Untersuchungen der synoptischen Evangelien haben zu dem Ergebnis geführt, daß es in der frühesten Zeit eine zusammenhängende Erzählung des Lebens Jesu nach Art einer Biographie nicht gegeben hat. Die vorevangelische Tradition bildete vielmehr ganz unterschiedliche literarische Gattungen und Formen, welche jeweils durch das besondere Anliegen des Bekenntnisses bestimmt worden sind. Geht man von Kreuz und Auferweckung als Mitte der christlichen Verkündigung aus (1 Kor 15, 3ff), dann kann es nicht verwundern, daß der Bericht über das Leiden Jesu zu den ältesten Erzähleinheiten der synoptischen Tradition gehört. »Hier war das Heil anschaubar nicht nur in Person und Wort des Herrn, sondern in dem Ablauf einer Reihe von Ereignissen. Diese im Zusammenhang vorzuführen besteht also ein Bedürfnis, um so mehr als nur die Darstellung der Folge von Passion und Ostern die Paradoxie des Kreuzes auflöst, nur die Ver-

---

[31] *Mußner*, Christologische Homologese 65.

bindung der Ereignisse dem Bedürfnis nach Deutung Genüge tun, nur die Verknüpfung der einzelnen Vorgänge die Schuldfrage beantworten kann. Es sind die Interessen der Erbauung, primitivster Theologie und einfachster Apologetik, die hier zusammenkommen.«[32] Neuere Untersuchungen zur Passionsgeschichte des Markusevangeliums[33] haben wahrscheinlich gemacht, daß Markus einen alten Geschichtsbericht vom Tode Jesu benutzt hat, der beispielhaft ist für die »Bekenntniserzählung« als Frühform der christologischen Reflexion. Dieser einfache Bericht (Mk 15,20b-22a.24. 27) sei aus persönlichen und theologisch-apologetischen Gründen tradiert worden. Es soll aufgezeigt werden, daß Jesus nicht als Verbrecher, sondern nach dem Willen Gottes hingerichtet wurde. Das ergibt sich aus dem »de facto Schriftbeweis« mit Ps 22,19 beziehungsweise Jes 53,12. »Jesus ist nicht als Verbrecher, sondern gemäß dem im Alten Testament bezeugten göttlichen Willen *unschuldig als Gerechter* gekreuzigt worden.«[34] Das persönliche Interesse zeigt sich in der Berufung auf Simon von Cyrene durch die Vermittlung der beiden Söhne Alexander und Rufus. »Die hinter der Tradition stehende Gemeinde war in dieser Sicht stolz darauf, daß jemand aus ihrer Mitte, Simon von Kyrene, Jesus in seinem Leiden helfen und nahe sein durfte.«[35]
Wenn man berücksichtigt, daß im Urteil des zeitgenössischen Judentums der Tod am Kreuz als Gottesfluch über den Gerichteten verstanden wurde (Dtn 21,23; Gal 3,13), dann erhält auch die zurückhaltende, aber mit innerer Anteilnahme vorgetragene Erzählung ihr besonderes Gewicht. Die Gemeinde sieht im Gegensatz zu den jüdischen Auffassungen im Kreuzestod Jesu die Verwirklichung des Heilswillens Gottes (Mk 15,24.27).
In welchem Maß das Bekenntnis sich in die einfache Erzählung hineingeschoben hat, um die anfänglich nur vorsichtig angedeutete Heilsbedeutung des Geschehens ins rechte Licht zu rücken, machen

---

32 *Dibelius*, Formgeschichte 21.
33 *Schreiber*, Theologie des Vertrauens 24-33; *Ders.*, Markuspassion; *Conzelmann*, Historie und Theologie 37-53; *Gnilka*, Jesus Christus 95-109.
34 *Schreiber*, Theologie des Vertrauens 32.
35 *Ders.*, aaO. 32.

die redaktionellen Ergänzungen und Überarbeitungen des Markus offenkundig. Mit Hilfe alttestamentlicher und jüdisch apokalyptischer Motive (V. 33.34a.37.38) wird der Tod Jesu christologisch gedeutet. Das geschieht immer noch in der Form des Erzählens. Aber die Stundenangaben, die Finsternis, der Todesschrei und das Zerreißen des Vorhangs im Tempel wollen nicht mehr als historisierender Bericht verstanden werden. Der Redaktor setzt theologische Akzente. Er stellt das einfache Geschehen der blutigen Hinrichtung in den Rahmen des eschatologischen Handelns Gottes. Der am Kreuz Gerichtete ist in Wahrheit der Weltenrichter. So bildet das Wort des heidnischen Hauptmanns: »Wahrhaftig, dieser Mensch war Sohn Gottes« (15,39) den eigentlichen Höhepunkt der Bekenntniserzählung.

Wenn diese Analyse und ihre theologische Deutung stimmt, dann hätten wir hier eine ganz frühe Form des christologischen Bekenntnisses. Es wird nur berichtet. Aber das Erzählen geschieht nicht ohne Absicht. Der Erzähler ist nicht interessiert an den historischen Details. Er möchte vielmehr durch seinen Bericht trösten und den Glauben stützen.

III. DER ÖSTERLICHE URSPRUNG DER CHRISTOLOGIE

Die verschiedenen Glaubensformeln und Hoheitstitel stimmen bei aller Unterschiedlichkeit in einem Punkt überein: ihr gemeinsamer Ursprung ist der Glaube an die Auferweckung Jesu Christi. Das gilt ganz eindeutig für die Formelsprache; bei den hohen Titeln gehen die Auffassungen etwas auseinander. Manche Würdebezeichnungen sind auf den ersten Blick als nachösterlich zu erkennen, andere könnten vielleicht einen vorösterlichen Ursprung haben — das Spektrum der Meinungen reicht hier vom zuversichtlichen »Ja« über ein vorsichtiges »Vielleicht — vielleicht auch nicht« bis hin zu einem entschiedenen »Nein«.[1]

---

[1] Es ist sicher angebracht, an dieser Stelle eine kurze Zwischenbemerkung über die Legitimität einer kritischen Sichtung innerhalb der als Jesuswort überlieferten synoptischen Tradition zu machen. Ein solches Verfahren, das sich von den herkömmlichen Methoden der systemati-

Für unsere Frage nach den Ursprüngen der Christologie bedeutet das, daß die historisch-kritisch feststellbaren und nachprüfbaren Anfänge im österlichen Geschehen, genauer: in der Entstehung des Osterglaubens gegeben sind. Hier beginnt wirklich christologisches Bekennen. Die Frage ist nur, ob Ostern der absolute Anfang der Christologie ist, ob Ostern also die Christologie erst geschaffen oder ermöglicht hat, oder ob die nachösterliche Christologie schon verankert ist in einem vorösterlichen Bekennen und letztlich in einem wie immer auch gearteten hohen Selbstbewußtsein des historischen Jesus. Anders gefragt: Ist der österliche Graben unüberbrückbar, oder gibt es Möglichkeiten für einen Brückenschlag?

Bevor wir dieser Frage genauer nachgehen, soll zunächst aufgezeigt werden, in welchem Maße alle neutestamentlichen Traditionen österlich eingefärbt sind. Denn daß alle Dokumente des Neuen Testaments von einem österlichen Vorverständnis ausgehen, sollte eigentlich nicht besonders betont werden müssen. Alle Texte ohne Ausnahme glauben, denken und sprechen von Ostern her und Jesus ist für die Urgemeinde nicht zunächst eine Gestalt der Vergangenheit, sondern er ist der erhöhte Kyrios, der in der Gemeinde kraft des Pneuma gegenwärtig ist und das Heil anbietet.

Das gilt grundsätzlich, wenngleich mit unterschiedlicher Intensität,

---

schen Christologie unterscheidet, mag zunächst Verwunderung und Befremden hervorrufen.

Wir müssen davon ausgehen, daß unsere kanonischen Evangelien weder dogmatische Lehrsätze liefern wollen, noch historische Referate; sie sind vielmehr vom ersten Ansatz an Glaubenszeugnisse einer ganz bestimmten Geschichtsstunde, und alles, was vor Ostern liegt — und dazu gehört ja auch die Frage nach dem Selbstbewußtsein Jesu — ist nur in der Verpackung des bekennenden Glaubens zu uns gekommen. Die päpstliche Bibelkommission (vgl. die Instruktion »Über die historische Wahrheit der Evangelien« vom 21. 4. 1964) und das Zweite Vatikanische Konzil (Dogmatische Konstitution über die göttliche Offenbarung, Kapitel III Art. 12) haben im übrigen auf die besondere literarische Eigenart der kanonischen Evangelien hingewiesen und die Exegeten ermuntert, mit den entsprechenden wissenschaftlichen Methoden, also Literarkritik, traditionsgeschichtlicher, formgeschichtlicher und redaktionsgeschichtlicher Methode, an die Texte heranzugehen. Vgl. *Fitzmyer*, Wahrheit der Evangelien; *Vögtle*, Das Neue Testament 69-96; *Bea*, Geschichtlichkeit.

für alle Schichten der neutestamentlichen Tradition. Für die außer-
evangeliare Tradition ist das ganz offenkundig. Paulus baut von
den Heilsereignissen Kreuz und Auferstehung her sein ganzes
theologisches Gedankengebäude auf. Er kann sagen: »Darum kennen wir von nun an niemand mehr nach dem Fleische — und
wenn wir auch einmal Christus nach diesem Maßstab kannten,
jetzt kennen wir ihn nicht mehr so« (2 Kor 5,16).[2] Die Orientierung an dem erhöhten Christus ist für Paulus so zentral, daß er
auf die Überlieferung von Worten und Taten des historischen
Jesus fast ganz verzichten kann. Für die Apostelgeschichte, die ja
die Ansätze eines geschichtlichen Denkens bereits erkennen läßt,
gilt grundsätzlich das gleiche. Die Reden (vgl. 2,22-36; 3,12-26;
4,9-12; 5,29-32; 10,34-43) gehen immer vom Glauben an die Auferweckung Jesu aus, und dieser Jesus ist der Erhöhte, der nun zu
seiner Gemeinde spricht.

Für das Markusevangelium ist das österliche Kerygma das tragende Gestaltungsprinzip. Von der österlichen Botschaft ausgehend, werden die vorösterlichen Traditionsstücke in das Evangelium so aufgenommen, daß sie nicht einfach bewahrende Erinne-
rungen an das Wirken Jesu sind, sondern immer vergegenwärti-
gende Anrede, Verkündigung.[3] Auch Lukas, für den die historische
Reflexion schon ein besonderes Gewicht erlangt hat[4], ist keinesfalls
der »Biograph Jesu«. Er stellt zwar das Heil dar in den Kategorien der Geschichte; das Heil hat einen historischen Anfang, einen
geschichtlichen Höhepunkt und ist ausgerichtet auf das Eschaton in
der Zukunft. Aber daß es sich hier um Heil handelt und daß es
sich auf diese Weise, nämlich prophezeiend in Moses und den Propheten und erfüllend in Jesus ereignet hat, das kann nur von
Ostern her erfahren werden. Lk 24,27 ist hierfür aufschlußreich.
Es ist der Auferstandene, der den Emmausjüngern alles, was in
allen Schriftstellen auf ihn bezug hat, auslegt. Er macht ihnen

---

[2] Das κατὰ σάρκα bezieht sich sicher auf den Vorgang des Kennens und
nicht auf Christus. Immerhin ist mit dem »geistigen« Kennen eine
vertiefte Einsicht in das Wesen Christi angedeutet, die ihren Ursprung
im Osterglauben hat.
[3] Vgl. *Marxsen,* Einleitung 123f.
[4] Vgl. *Conzelmann,* Mitte der Zeit.

klar, daß der Messias leiden mußte, um so in seine Herrlichkeit einzugehen.

Man kann also sagen, daß die Evangelisten im Erzählen der Geschehnisse von einst verkünden, wer er ist, nicht wer er war.[5] Die Evangelien wollen auf ihre Aussage für die Gegenwart und ihre Bedeutung für die Zukunft hin befragt werden. Weder die Evangelien, noch die in ihnen verarbeiteten Traditionsstücke, dürfen also als historische Referate verstanden werden, die von ihren Verfassern mit der Akribie eines Protokollanten gesammelt worden sind, um der Nachwelt zu ermöglichen, die historische Situation von damals zu rekonstruieren. Sie sind vielmehr allesamt Glaubenszeugnisse. Die Überlieferung gibt nicht zunächst Worte von damals wieder, sondern sie ist sein Wort heute. Anders gesagt: Immer ist es der Auferstandene und Erhöhte, der in den Evangelien spricht; ob es um die Botschaft der Bergpredigt geht oder um die Gleichnisse vom Gottesreich, ob um die Kindheitsgeschichten oder die Passionsberichte, in all diesen Traditionsstücken ist historische Erinnerung in einem solchen Maße in das gegenwärtige Bekenntnis zum Auferstandenen eingegangen, daß eine säuberliche Trennung von Kerygma und Bericht in den meisten Fällen unmöglich, ja sogar fragwürdig ist, wenn die historische Reflexion verstanden wird als Rekonstruktion einer vom Glaubensanspruch gelösten profangeschichtlichen Situation. Der Eindruck der österlichen Erfahrung ist für die urchristlichen Zeugen so stark, daß auf weite Strecken die Grenzen zwischen vorösterlicher und nachösterlicher Zeit, zwischen dem, was damals war und dem, was heute ist, relativiert worden sind. Das österliche Leuchten ist so machtvoll, daß die gesamte Tradition ohne Ausnahme davon erfaßt worden ist.

Hier drängt sich nun freilich die grundsätzliche Frage auf, ob das bisher Gesagte den Verzicht auf jede historische Rückfrage zur Folge hat, ob also das Kerygma sich in einem solchen Maße verabsolutiert hat, daß die Frage nach dem, was »davor« liegt, völlig überflüssig oder gar unstatthaft wäre.

---

[5] Vgl. *Bornkamm*, Jesus 15.

Unsere Untersuchung wird auf diesen Punkt genauer eingehen müssen. Wir haben die Frage nach der Möglichkeit eines Brückenschlags ja bereits angedeutet. Nur so viel soll an dieser Stelle schon gesagt sein, daß die von Ostern überwältigte und von Ostern her denkende Gemeinde den Grund und die Legitimation ihres Glaubens in der geschichtlichen Gestalt Jesu von Nazareth gesucht und gefunden hat. Die Behauptung, alle in den Evangelien enthaltenen historischen Elemente seien nichts anderes als Glaubensprojektionen nach rückwärts, ist mindestens genauso einseitig, wie die Annahme, es handele sich um historisch rekonstruierbar biographische Berichte. R. Schnackenburg, der in seiner »Christologie des Neuen Testamentes«[6] den österlichen Ansatz mit aller Entschiedenheit betont hat, weist zu Recht darauf hin, daß zwischen »Anfang« und »Ursprung« des Christusglaubens wohl unterschieden werden muß. Freilich, in dieser Unterscheidung steckt auch das eigentliche Problem. Wenn Ostern nicht absoluter Anfang ist im Sinne einer jetzt erst und nur jetzt einsetzenden völlig neuen und auf nichts zurückzuführenden Wirkmacht, dann muß es doch wohl eine »Vorgeschichte« geben, die in ganz bestimmten historisch greifbaren Fakten der »Geschichte Jesu« sich ausweist. Das österliche Geschehen ist persongebunden, nicht nur in dem Sinne, daß es auf die Person des Auferstandenen zu beziehen ist, sondern es steht geradezu in der geschichtlichen Kontinuität der Person Jesu. Anders ausgedrückt: Auferstehung ist nicht möglich ohne eine wie immer auch geartete christologische »Vorahnung«.

Wir werden uns darum zuerst mit der Frage zu beschäftigen haben, ob es grundsätzlich möglich ist, mit den Mitteln der kritischen Forschung vorösterliche Elemente — seien es Worte Jesu oder Berichte über Taten Jesu — zu sichern. In einem zweiten Schritt wird dann zu fragen sein, von welcher Qualität diese Elemente sind. Liegen sie lediglich auf der Ebene des Innerweltlichen, das ja durchaus außergewöhnliche Erscheinungen kennt, ohne daß man den Anspruch des Gottgewirkten damit verbinden muß? Oder darf man bei einem Überblick über die Worte und Taten Jesu mit einiger Sicherheit sagen, daß solche Phänomene, wie beispielsweise die

---

[6] aaO. 233.

radikalen Forderungen der Bergpredigt und der hohe Anspruch der Nachfolge, das innerweltlich Mögliche transzendieren?

Damit ist natürlich auch die Frage gestellt, in welchem Verhältnis ein solches christologisches »Prae« zum Ostergeschehen steht. Es ist nicht identisch mit der österlichen Wirklichkeit, es ist auf der anderen Seite aber auch nicht so sehr davon verschieden, daß nur der totale Widerspruch die einzig angemessene Kategorie wäre. Träfe das Letztere zu, dann wäre die völlige Kerygmatisierung der Christologie nicht aufzuhalten. Es scheint sich zu zeigen, daß dieser Gefahr nur durch die entschiedene Rückführung auf die Inkarnation begegnet werden kann. Die frühe Gemeinde hat das sehr bald erkannt, als sie in dem Bekenntnis: »Der Erhöhte ist der Inkarnierte« (Phil 2,7.8) das christologische Eigengewicht der Fleischesexistenz ernst nahm.

B) Das Problem des Brückenschlags

Das Problem, mit welchem wir uns zunächst zu beschäftigen haben, lautet also: Gibt es einen Weg vom Christus des Glaubens zurück zum historischen Jesus? Es versteht sich, daß hier nach einem Weg gefragt wird, der für den Exegeten, welcher sich zunächst als Historiker und kritischer Philologe versteht, gangbar ist. Damit ist noch nichts gesagt über die Angemessenheit oder auch Unangemessenheit der historisch-kritischen Methode für die letzten Fragen der Christologie. Ohne Zweifel entziehen sich wichtige Stücke der neutestamentlichen Verkündigung, wie beispielsweise der Anspruch der Sündenvergebung oder die Deutung des Kreuzestodes als Heilsgeschehen, der letzten Nachprüfung durch die kritische Vernunft. Auf der anderen Seite darf aber auch nicht übersehen werden, daß Gottes Offenbarung in Jesus Christus geschichtlich sich ereignet hat und daß es darum grundsätzlich möglich sein muß, diesem Ereignis mit den Hilfsmitteln der Geschichtsforschung nachzuspüren. Daß ein solches »Ereignis« darüber hinaus einen Anspruch enthält, der jede empirische Erfahrung überbietet und sprengt, darf dabei freilich nicht vergessen werden.[1]

Wir fragen also in einem ersten Gedankengang nach der grundsätzlichen Möglichkeit, historisch sichere Angaben über den vorösterlichen Jesus zu machen, um dann diese vorösterlichen Traditionselemente daraufhin zu überprüfen, ob in ihnen Anknüpfungspunkte für die explizite Christologie der nachösterlichen Gemeinde gegeben sind. Denn die Urkirche mußte ja bei ihrem christologischen Bekenntnis, welches die Identität des Erhöhten mit dem vorösterlichen Jesus voraussetzte, davon überzeugt sein, daß für einen solchen Glauben auch im irdisch geschichtlichen Verhalten Jesu Grund und Legitimation zu finden sind. An welchen Stellen eine solche Legitimation sichtbar ist, wird zu untersuchen sein.

---

[1] Es handelt sich hier um grundsätzliche Fragen der biblischen Hermeneutik. Vgl. zu dieser Frage *Schlier*, Was heißt Auslegung, in: Besinnung 35-62; *Vögtle*, »Auslegung« 29-83; *Mußner*, Aufgaben und Ziele 7-28.
Zur Frage nach den Beziehungen zwischen dem historischen Jesus und dem Christus des Glaubens gibt es ein so reichhaltiges literarisches

I. DIE RADIKALE KRITIK

Die Antwort der radikalen Kritik, die sich vor achtzig Jahren mit der Schrift Martin Kählers »Der sogenannte historische Jesus und der geschichtliche biblische Christus« angemeldet hat, erlaubt keinerlei historisches Rückfragen. Für Kähler ist die Frage der Kontinuität beziehungsweise der Diskontinuität mehr als ein literarisches Problem, das mit Hilfe verbesserter Methoden eines Tages vielleicht doch noch gelöst werden könnte. Gegenüber der im Kerygma anwesenden Heilswirklichkeit des Christus ist die historische Fragestellung als solche grundsätzlich unangemessen.

Niemand ist im stande, die Gestalt Jesu wie irgendeine andere Gestalt der Vergangenheit zum Gegenstande lediglich geschichtlicher Forschung zu machen; zu mächtig hat sie zu allen Zeiten unmittelbar auf weite Kreise gewirkt, zu bestimmt tritt noch einem jeden ihr Anspruch entgegen, als daß nicht selbst schon darin eine entschlossene Stellungnahme läge, wenn man sich zu der beanspruchten Bedeutung dieser ›Erinnerung‹ ablehnend verhält, neben der ›das Menschengeschlecht keine hat, die dieser nur von ferne zu vergleichen wäre‹. Niemand vermag sich mit dieser Vergangenheit zu beschäftigen, ohne irgend wie unter den Einfluß ihrer einzigartigen Bedeutung für die Gegenwart zu treten. Vollends ein Christ wird sich immer vorhalten, daß ihm als solchem das Geschichtliche sehr gleichgültig sein müßte oder dürfte, wenn in diesem Geschichtlichen nicht etwas wäre, was ihn heute ebenso angeht wie die Zeitgenossen dieses Jesus. Und gerade so nun, wie den Menschen der Gegenwart diese Gestalt entgegentrat, in ihrer beanspruchten unvergleichlichen Bedeutung für eines jeden Religion und Sittlichkeit, gerade so ist sie bereits in dem Bericht aufgefaßt und gemalt, durch die wir allein mit ihr in Berührung zu treten vermögen. Es gibt hier keine Mitteilung aufmerksam gewordener unbefangener Beobachter, sondern durchweg Zeugnisse und Bekenntnisse von Christusgläubigen«.[2]

Wir brauchen an dieser Stelle den Ursachen und Hintergründen einer so entschiedenen Haltung gegenüber allen historischen Kategorien nicht nachzugehen. Es sei nur am Rande darauf hingewiesen, daß sich damals die Mißerfolge der Leben-Jesu-Forschung abzeichneten. Angesichts der Unmöglichkeit, mit den herkömmlichen Methoden der Geschichtsforschung das Bild Jesu zu rekon-

---

Angebot, daß es sich erübrigt, an dieser Stelle im einzelnen darauf einzugehen. Vgl. *Schnackenburg*, Christologie 233 Anm. 10.

[2] *Kähler*, Jesus und Christus 74f.

struieren, ist es zu verständlich, daß man nach einem neuen Glaubensgrund Ausschau hielt. Dieser ist nicht in dem historischen Jesus zu finden, sondern in dem gepredigten Christus.

»Der wirkliche, das heißt wirksame Christus, der durch die Geschichte der Völker schreitet, mit dem die Millionen Verkehr gehalten haben in kindlichem Glauben, mit dem die großen Glaubenszeugen ringend, nehmend, siegend und weitergebend Verkehr gehalten haben — der wirkliche Christus ist der gepredigte Christus. Der gepredigte Christus, das ist aber eben der geglaubte; der Jesus, den wir mit Glaubensaugen ansehen in jedem Schritte, den er thut, in jeder Silbe, die er redet; der Jesus, dessen *Bild* wir uns einprägen, weil wir darauf hin mit ihm umgehen wollen und umgehen, als mit dem erhöheten Lebendigen. Aus den Zügen jenes Bildes, das sich den Seinigen in großen Umrissen hier, in einzelnen Strichen dort tief eingeprägt und dann in der Verklärung durch seinen Geist erschlossen und vollendet hat, — aus diesen Zügen schaut uns die *Person* unsres lebendigen Heilandes an, *die Person des fleischgewordenen Wortes, des offenbaren Gottes*«.[3]

Die Diastase ist hier ganz eindeutig. Wo Kähler trotzdem nicht ganz auf die geschichtliche Vergewisserung verzichtet und sich auf ein Gesamtbild oder Charakterbild Jesu stützen will, ist er inkonsequent. Er geht davon aus, daß die Evangelien in ihrer Gesamtheit letzten Endes doch ein zutreffendes Bild von Jesus entwerfen. Aber das alles ist nichts anderes als der höchst fragwürdige Versuch, mit Hilfe subjektiver und psychologischer Kategorien das zu retten, was er durch das neue Stichwort »der gepredigte Christus« abgebaut hatte. Die Tür stand offen für die totale Enthistorisierung, wie sie von *Bultmann* mit letzter Konsequenz durchgeführt worden ist.

Die theologische Entwicklung der kommenden Epoche war von Kähler eigentlich nur erahnt worden. Die eigentliche methodische Untermauerung erhielten seine Thesen durch die Formgeschichte, welche nach dem Scheitern der »Leben-Jesu-Forschung« die Lösung aller Probleme in der Erforschung der »Verkündigungsgeschichte« suchte. Eine solche Abkehr von den falschen historisierenden Ausgangspositionen wäre ohne weiteres zu begrüßen, wenn damit nicht eine perspektivische Verkürzung der neutestamentlichen Verkündigung Hand in Hand gegangen wäre. Die Vertreter der formgeschichtlichen Methode haben die verschiedenen Ausdrucksformen

---

[3] Zitat bei *Fuchs*, Hermeneutik 21f.

des nachösterlichen Christusglaubens in hervorragender Weise untersucht und Wichtiges über die Entstehungsgesetze der einzelnen Traditionsstücke gesagt. Aber die entscheidende Frage, wo denn die Ursprünge dieses Glaubens zu suchen sind, wurde völlig relativiert. Während M. Dibelius sich darauf beschränkte, die Entstehungsgesetze der literarischen Formen aufzuzeigen und den Werdegang der Überlieferung zu erhellen, verband R. Bultmann mit seinen formanalytischen Untersuchungen ein klares sachkritisches Urteil. Das nachösterliche Kerygma ist der eigentliche Beginn der Christologie. Der historische Jesus hat für den Glauben der Gemeinde keinerlei konstitutive Bedeutung. Wie Jesus sich selbst verstanden hat und was er über sich gedacht hat, ist theologisch unerheblich. So kann Bultmann in der Einleitung zu seinem Jesusbuch schreiben: »Als Träger dieser Gedanken wird uns von der Überlieferung Jesus genannt; nach überwiegender Wahrscheinlichkeit war er es wirklich. Sollte es anders gewesen sein, so ändert sich damit das, was in dieser Überlieferung gesagt ist, in keiner Weise. So sehe ich auch keinen Anlaß, der folgenden Darstellung nicht den Titel der Verkündigung Jesu zu geben und von Jesus als dem Verkünder zu reden. Wer dieses ›Jesus‹ für sich immer in Anführungsstriche setzen und nur als abkürzende Bezeichnung für das geschichtliche Phänomen gelten lassen will, um das wir uns bemühen, dem ist es unbenommen«.[4] Dem entspricht ganz eine Stellungnahme aus neuerer Zeit: »Wie es in Jesu Herzen ausgesehen hat, weiß ich nicht und will ich nicht wissen«.[5]

Das, was Jesus getan und gesagt hat, ist nicht etwa nur überformt und neu eingekleidet worden durch das Kerygma, es ist faktisch belanglos und für die Glaubensentscheidung ohne Bedeutung. Man könnte allenfalls noch in der Jesusverkündigung eine lockere Voraussetzung sehen für die Theologie des Neuen Testaments, aber die Jesusverkündigung selbst gehört nicht in die Theologie des Neuen Testaments, sondern in das religiöse Denken des Judentums; Christentum beginnt erst nach Jesus, genauer: mit der Entstehung des Osterglaubens der Jünger. Ostern ist für Bultmann

---

4 *Bultmann*, Jesus 16.
5 *Bultmann*, Christologie 101.

nicht nur eine Zäsur im Erkenntnisvorgang, sondern ein radikaler Bruch. Der Graben ist nicht zu überbrücken.

Die Begründung für diese radikale Beschränkung findet Bultmann in der paulinischen und johanneischen Theologie. Paulus habe die Evangelientraditionen nicht gekannt. Er habe kaum Bezug genommen auf den historischen Jesus, auf seine Worte und Taten, und auch das vierte Evangelium verzichte weitgehend auf historische Züge im Jesusbild zugunsten der Gegenwärtigkeit des Offenbarungswortes. Selbst die historisierenden Elemente innerhalb der synoptischen Evangelien seien Mißverständnisse. Auch hier sei die aktuelle Begegnung mit dem im Kerygma anwesenden Christus die eigentliche Aussageintention. Dieser Christus des Kerygmas aber ist für Bultmann keine historische Gestalt, »die mit dem historischen Jesus in Kontinuität stehen könnte. Wohl aber ist das Kerygma, das ihn verkündigt, ein historisches Phänomen; und nur um die Kontinuität zwischen diesem und dem historischen Jesus kann es sich handeln«.[6] Was allenfalls am historischen Jesus interessiert, ist das »Daß«, die Tatsache seines Gekommenseins. Alles, was nach Ostern christologisch gesagt wird in Bekenntnissen und Titeln, ist das in mythische Gewandungen gekleidete Kerygma, das darauf wartet, freigelegt und im jeweiligen »Heute« hörbar gemacht zu werden. Es ist zur Genüge bekannt, in welcher Weise Bultmann dieses Kerygma, diesen biblischen Kerngehalt, mit Hilfe der Heideggerschen Kategorien eruiert.[7]

Bultmann sieht nun selbst die gefährlichen Konsequenzen einer

---

[6] *Bultmann*, Verhältnis 8.

[7] *Bultmann*, Christologie 95f: »So gesehen begegnet uns Jesus auch nimmermehr als Du. Als forderndes Du mit einem konkret an unser Gewissen gerichteten Anspruch vermag uns überhaupt nur ein Du der heutigen konkreten Gegenwart zu begegnen. An einem ›Du‹ der Vergangenheit ist uns höchstens die sittliche Forderung zeitlos anschaulich, ist die Tatsache anschaulich, daß es für uns ein Gesetz gibt. Der historische Jesus aber fordert weder unmittelbar etwas von uns, noch richtet er uns wegen einer Tat, mit der wir uns gegen ihn vergangen haben. Wird Jesus so gesehen, daß sein Bußruf uns die sittliche Forderung zum Bewußtsein bringt (mit welcher Leidenschaft auch immer!), so ist ihm jedes Du unseres heutigen Miteinanderseins überlegen. Denn *so* ist er faktisch nur gesehen, wie er von *andern* fordert und über

solchen Enthistorisierung des Christusglaubens. Darum verweist er auf das »Daß« des Gekommenseins Jesu als jenen Punkt, welcher den Christusglauben mit der historischen Person Jesus von Nazareth verbindet. Man wird indes kaum bestreiten können, daß es sich hier um einen äußerst brüchigen Steg handelt und daß die Gefahr einer totalen Spiritualisierung[8] und Auslieferung an eine bestimmte philosophische Richtung, in diesem Falle an die Existenzphilosophie Heideggers, sich am Horizont abzeichnet.

Bultmann möchte das zwar verhindern. Darum betont er, daß die Theologie trotz allem nicht auf Jesus verzichten kann. Aber dieser Jesus ist schemenhaft, blaß, ohne Gesicht und persönliches Profil. Man hat den Eindruck, daß er nicht sehr viel mehr ist als ein aposteriorisches Postulat, welches die Mythisierung des Kerygmas verhindern soll. Übrigens findet sich zu dieser durch die Kerygmatisierung bedingten Hintanstellung des historischen Aspektes eine auffallende geistesgeschichtliche Parallele in der frühen Kirche. Damals war der harte Kern des Erlösungsgeschehens von den mannigfachen gnostischen Spekulationen bedroht, und es ist sicher mehr als ein Zufall, daß Bultmann in diesem Bereich die Anfänge der neutestamentlichen Theologie und Christologie sucht.

Die Auswirkungen einer radikalen Kerygmatisierung der evangelischen Botschaft zeigen sich übrigens am deutlichsten im Bereich der praktischen Verkündigung. Die Predigt kann auf die Dauer nicht leben vom bloßen Aufruf zur Entscheidung des Glaubens. Sie braucht Inhalte, auf die sich der Glaube berufen kann und die dem Glauben eine konkrete Gestalt zu geben vermögen. So kann H. Conzelmann von einer »latenten Historisierung der kerygmatischen Theologie«[9] sprechen, die auf Umwegen und Irrwegen pseudohistorischer Art letzten Endes doch wieder das Gespür wecke für die Notwendigkeit der historischen Fragestellung.

---

andere gerichtet hat; und mag mir das Veranlassung werden, mich auf die mir geltende Forderung zu besinnen, — *so* wird Jesus weder zum Du noch zum Herrn«.

[8] Vgl. *Dahl*, Der historische Jesus 124. Dahl spricht von einem »kerygma-theologischen Doketismus«.

[9] *H. Conzelmann*, Zur Methode der Leben-Jesu-Forschung: ZThK 56 Bh 1 (1959) 2–13 bes. 4.

II. DIE WIEDERBESINNUNG AUF DIE HISTORISCHE FRAGESTELLUNG

Es gehört ohne Zweifel zu den interessantesten Erscheinungen der gegenwärtigen theologischen Situation, daß die überaus radikale Kritik Bultmanns ausgerechnet »im eigenen Lager«, nämlich in den Reihen seiner eigenen Schüler, auf zum Teil sehr heftigen Widerstand gestoßen ist. Man befürchtet offenbar, daß mit der Preisgabe der historischen Voraussetzungen des Christuskerygmas dessen Geschichtlichkeit, Tatsächlichkeit und damit auch die Glaubwürdigkeit der christlichen Verkündigung ins Wanken geraten könnte.

Die Rückbesinnung auf die historische Perspektive geschieht auf sehr unterschiedliche Weise und sie wurde ausgelöst durch ganz verschiedene Denkanstöße. Es kann indes nicht bestritten werden, daß allenthalben über die Möglichkeiten eines Brückenschlags zum historischen Jesus nachgedacht wird.

Ausgelöst wurde die Diskussion durch E. Käsemann, der sich im Jahre 1954 in dem inzwischen berühmt gewordenen Aufsatz »Das Problem des historischen Jesus«[1] kritisch mit Bultmann auseinandergesetzt hat. Käsemann geht davon aus, daß uns das Neue Testament selbst das Recht gebe zur historischen Fragestellung, weil ja die Evangelien selbst in ihrer Heilsbotschaft sich auf den historischen Jesus berufen und ihm eben aus diesem Grunde eine unableitbare Autorität zuschreiben. »Wie stark ihre Anschauungen von der Geschichte Jesu differieren und wie sehr die wirkliche Historie Jesu unter ihrer eigenen Verkündigung verdeckt werden mag, nur dem Interesse an dieser Geschichte verdanken wir überhaupt ihre Entstehung und jene Gestalt, die sich so eigenartig aus dem sonstigen NT und der zeitgenössischen Literatur abhebt.«[2]

Auch die nachösterlichen Glaubensbekenntnisse und Glaubensformeln weisen auf die historische Verankerung dieses Christusglaubens hin. Zwar nicht in der gleichen literarischen Form wie die

---

[1] Vgl. ZThK 51 (1954) 125-153; wieder abgedruckt in: Exegetische Versuche und Besinnungen I, Göttingen [3]1964, 187-214. Im folgenden wird auf diese Ausgabe Bezug genommen.

[2] *Käsemann*, Exegetische Versuche I 195.

Evangelien, die sich erzählend auf Geschehenes beziehen, aber doch auf eine Weise, die erkennen läßt, daß sie eben mehr als einen Mythos aussagen. Das Bekenntnis zum erniedrigten und erhöhten Herrn macht zwar deutlich, daß die Gemeinde nicht isoliert seine irdische Geschichte darstellen kann unter Verzicht auf das Bekenntnis des gegenwärtigen Glaubens. Sie läßt auf der anderen Seite aber auch erkennen, daß dieser Glaube mehr ist als ein gedankliches Produkt oder ein Theologumenon. »Schon sie (die Gemeinde) kämpft faktisch ebenso gegen einen schwärmerischen Doketismus wie gegen eine historische Kenosislehre. Offensichtlich ist sie der Meinung, daß man den irdischen Jesus nicht anders als von Ostern her und also in seiner Würde als Herr der Gemeinde verstehen kann und daß man umgekehrt Ostern nicht adäquat zu begreifen vermag, wenn man vom irdischen Jesus absieht.«[3]

Käsemann geht also von der Tatsache aus, daß die Urgemeinde die singuläre Literaturgattung des Evangeliums geschaffen hat, die historische Elemente impliziert, und er stellt fest, daß auch die an historischen Elementen armen Bekenntnisse der Gemeinde mehr sind als freischwebende Spekulationen. Historie ist also einerseits zur Geschichte geworden, die im Sinne Bultmanns »fragend und antwortend in unsere Gegenwart hineinspricht«, sie ist aber auch durch ihren Rückverweis auf die »Vergangenheit« Jesu der Ausdruck für das »extra nos« der Botschaft.[4]

Es ist offenkundig, daß Käsemann mit diesen grundsätzlichen Erörterungen den Weg frei gemacht hat für eine Diskussion, die bislang abgebrochen zu sein schien durch die Vorherrschaft der kerygmatischen Theologie.

Aber schon vorher hatte man sich von einer Seite her mit aller Deutlichkeit gegen die Enthistorisierung Bultmanns verwahrt, von der man es zunächst nicht erwartet hatte. K. Jaspers[5] und F. Buri[6] richteten an ihn die Frage, ob es nicht inkonsequent sei, nun doch an einem, wenn auch nur sehr minimalen Punkt, das Prinzip der

---

[3] *Käsemann*, aaO. 196.
[4] *Ders.*, aaO. 192; vgl. *ders.*, Exegetische Versuche II (³1968) 67.
[5] Wahrheit und Unheil 11–46.
[6] Theologie der Existenz 81–91.

radikalen Indifferenz des Glaubens gegenüber aller Historie zu durchbrechen. Die Berufung auf das »Daß« des Gekommenseins Jesu macht die Frage unvermeidlich, ob die Gleichsetzung von erhöhtem Christus mit dem historischen Jesus, wie sie uns in den biblischen Quellen begegnet, legitim ist oder nicht. Allein die Tatsache, daß das Kreuz Jesu im Schnittpunkt des Bekenntnisses der Gemeinde steht, garantiert die historische Verankerung dieses Bekenntnisses und fordert in jedem Fall die historische Reflexion heraus.

In ähnlichem Sinne bezog G. Ebeling Stellung: Die Tatsache, daß das Kerygma mit Jesus zu tun hat, und zwar ganz entscheidend mit Jesus zu tun hat, macht es erforderlich, dieser historischen Person historisch nachzugehen. »Indem das Kerygma sich auf den Namen Jesus und auf die Person Jesu konzentriert, stellt es gerade den, der sich seinem Anspruch *theologisch* aussetzt, vor die Frage, ›welchen Anhalt die kerygmatischen Aussagen über ihn bzw. der in ihnen explizierte Glaube an ihn an Jesus selbst haben‹«.[7] Das auch von Bultmann akzeptierte »Selbstverständnis Jesu« (nicht »Selbstbewußtsein«) muß ja doch mehr sein als eine personunabhängige anonyme Ideologie, die Jesus allenfalls als »Sprachrohr« benutzt, im übrigen aber an die historischen und psychologischen Gegebenheiten nicht gebunden ist. Bultmanns Kritiker weisen mit Recht darauf hin, daß faktisch »Selbstbewußtsein« und »Selbstverständnis« Jesu weithin deckungsgleich sind, ohne daß damit behauptet werden soll, daß die historisch-psychologische Rekonstruktion der Wirklichkeit Jesu schon in der Lage wäre, den hohen Anspruch Jesu ganz freizulegen. »Das aus Jesu Verkündigung erhebbare Existenzverständnis als das theologisch entscheidende Element seiner Botschaft ist ja doch nicht bloß nachträglich in existentialer Interpretation gefunden, kann doch nicht als unbewußt in die Botschaft eingegangene ›Lehre‹ oder Haltung gedacht werden, sondern muß unbedingt so vorgestellt werden, daß es die bewußte Aussage und Äußerung tangiert, in jener also unmittelbare Spuren eindrückt und an ihr ablesbar bleibt.«[8]

---

[7] *Ebeling*, Theologie und Verkündigung 63.
[8] *Brox*, Das messianische Selbstverständnis 165-201, bes. 168-173, Zitat: 171.

Ebeling kritisiert Bultmann wegen der Verkürzung der theologischen Perspektive des Wortes Gottes. Es genügt nicht, sich auf den im Kerygma enthaltenen Anspruch zurückzuziehen. Vielmehr muß aufgewiesen werden, in welcher Weise »Gott selbst zur Sprache und zum Verstehen kommt«. Gott ist auf einmalige und unwiederholbare Weise in jenem Wort zur Sprache und zum Verstehen gekommen, das der historische Jesus in Vollmacht gesprochen hat.[9]

Diese Überlegungen sind von grundsätzlicher Art. Sie erhellen das Problem, das sich infolge der Überbetonung der Kerygmatheologie ergeben hatte und sie weisen auf die Notwendigkeit einer historischen Absicherung hin.

Offen bleibt hier freilich noch die Frage, in welcher Weise Jesus als der Ursprung des Kerygmas zu betrachten ist; genauer: in wieweit die Sprache als der Ort des Verstehens Gottes die Sprache Jesu ist, und in welcher Weise Sprache und Jesus aufeinander zu beziehen sind. Jesus wird also zugänglich in der Sprache, in seiner Sprache, in seinen Worten, in seiner Verkündigung. Diese Sprache hat aber nur deshalb Autorität, weil sie die Sprache Jesu ist, und ohne diesen Bezug auf Jesus hätte sie keinerlei Anspruch. Wir werden uns mit dieser Frage nach dem Verhältnis: Jesus und Sprache Jesu noch genauer beschäftigen müssen. Es sieht so aus, als ob sich von hier aus ein Zugang eröffnet zur Person Jesu, zu ihrem hohen Anspruch und damit auch zu den Anfängen der Christologie.

III. DIE »SPRACHE JESU« ALS KRITERIUM

Der wohl bekannteste Versuch, die Sprache Jesu mit den Mitteln der historischen und philologischen Wissenschaft zu erheben, ist von J. Jeremias unternommen worden. Hinzu kommt eine viel beachtete Untersuchung von H. Schürmann zur Tradition der

---

[9] Es sei hier auf die Überlegungen von *E. Fuchs* zu den Beziehungen zwischen dem historischen Jesus und dem »Spracherereignis« hingewiesen. Zur Würdigung und kritischen Wertung dieser Bemühungen vgl. *Blank,* Paulus und Jesus 92-100.

Herrenworte.[1] Jeremias geht davon aus, daß die Offenbarung nur auf historischem Wege, und zwar mit Hilfe der historisch-kritischen Methode, erschlossen werden kann. Darum konzentriert sich sein Bemühen ganz auf die Erforschung der ipsissima vox Jesu, um von daher das ursprüngliche Jesusbild wiederzugewinnen. Sein Problem lautet: »Von der Urkirche zu Jesus zurück«; und diesen Schritt hält er grundsätzlich für möglich. »Wir müssen diesen Weg zum historischen Jesus und zu seiner Verkündigung immer wieder gehen. Die Quellen fordern es. Die Inkarnation schließt es in sich, daß die Geschichte Jesu nicht nur offen ist für geschichtliche Untersuchung, für historische Forschung und Kritik, sondern all das fordert.«[2]

Im einzelnen hat Jeremias zu beweisen versucht, daß es einige typische Redewendungen und sprachliche Besonderheiten gibt, die einen Spruch oder ein Logion als ursprünglich ausweisen.[3] Am überzeugendsten ist wohl seine Untersuchung zur Gottesanrede Jesu »Abba«. Jeremias kann einmal darauf hinweisen, daß diese Anrede für den religionsgeschichtlichen Bereich zur Zeit Jesu singulär ist — abgesehen von dem letzten Wort am Kreuz Mk 15,34/Mt 27,46 redet Jesus Gott immer in dieser Weise an, dagegen kann aus der gesamten jüdischen Gebetsliteratur kein vergleichbarer Text aufgezeigt werden. Zum anderen zeigt Jeremias auf, daß auch in der nachbiblischen Zeit diese Gottesanrede in der christlichen Gemeinde beibehalten wurde, und zwar in der aramäischen Form, so daß man davon ausgehen darf, daß es sich hier um ein echtes Jesuswort handelt.

Ohne Zweifel ist damit ein wichtiger Zugang zum Gottesverhältnis Jesu und damit ja auch zum Selbstverständnis Jesu eröffnet. Daß Jesus in solcher Weise zu Gott reden kann und darf, muß als Hinweis auf seine besondere Gottesnähe verstanden werden. Zwar hat es die Vaterbezeichnung für Gott sowohl im jüdischen als auch im hellenistischen Bereich gegeben. Das Alte Testament und

---

[1] *Schürmann*, Sprache des Christus 54-84.
[2] *Jeremias*, Gleichnisse Jesu 19.
[3] *Jeremias*, Theologie 38-45; als Kennzeichen der ipsissima vox Jesu werden genannt: Die Gleichnisse, die Rätselsprüche, die Königsherrschaft Gottes, Amen, Abba.

das Judentum wollen damit das exklusive Verhältnis des erwählten Volkes zu Gott umschreiben. Das Volk Israel ist der erstgeborene Sohn Gottes (Ex 4,22f), und beim Propheten Jeremia ist Jahwe der Vater Israels (Jer 31,9). Der König Israels ist in ausgezeichneter Weise »Sohn Gottes« (2 Sam 7,14; Ps 89,27ff). In der jüdischen Literatur ist diese Idee von der Vaterschaft Gottes auf den Einzelnen übertragen worden.[4]

Die Verwendung des Vaternamens für Gott ist also für Jesus nicht einmalig und keineswegs als Einführung eines neuen Gottesgedankens zu verstehen. Neu ist indes die direkte Anrede »Abba« und das damit gegebene ganz persönliche Vertrauensverhältnis. »Die Nähe Gottes ist das Geheimnis des Vater-Namens im Munde Jesu. Das spricht sich auch darin aus, daß Jesus als Anrede im Gebet einen Ausdruck wählt, der jedem Juden zu unfeierlich und respektlos als Anrede Gottes erschienen wäre.«[5]

So groß die theologische Bedeutung dieses sprachlichen Indizes ist, als Kriterium für die Ursprünglichkeit des ganzen Traditionsstücks, welches diese Gottesanrede verwendet, kann es nicht ohne weiteres gewertet werden. Es muß vielmehr in jedem Einzelfall genau untersucht werden, welche Konsequenzen sich aus dem gesamten Kontext der einzelnen Abba-Anrede ergeben. Eine kritische Wertung des Rahmens wird vielleicht zu dem Ergebnis führen, daß sich die nachösterliche Gemeinde die Gottesanrede Jesu im einen oder anderen Fall zu eigen gemacht hat.

Ein weiteres Kennzeichen der »ipsissima vox Jesu« sieht Jeremias in dem betont vorangestellten »Amen, ich aber sage euch«.[6] Die Formel habe ihr einziges Analogon in der für die prophetischen Botensprüche typischen Einführungsfloskel: »So spricht der Herr«. Wenn Jesus seine eigenen Worte auf diese Weise einführe, müsse das als Zeichen für seinen hohen Anspruch verstanden werden. »Die Neuheit des Sprachgebrauchs, seine strikte Beschränkung auf Worte Jesu und die übereinstimmende Bezeugung durch sämtliche

---

4 Vgl. Sir 4,10: »Sei den Waisen ein Vater und der Stellvertreter des Mannes für die Witwen, dann wird Gott dich Sohn nennen und dir gnädig sein und dich vom Verderben erretten«.

5 *Bornkamm*, Jesus 118.

6 *Jeremias*, Kennzeichen 86–93.

Traditionsschichten der Evangelien zeigen, daß wir es mit einer sprachlichen Neuschöpfung Jesu zu tun haben.«[7]

Die These von J. Jeremias hat zunächst breite Zustimmung gefunden[8], aber auch die kritischen Stimmen, die sich in letzter Zeit zu Wort gemeldet haben, sollten nicht überhört werden. Im einzelnen handelt es sich um folgende Bedenken: Das Postulat: »Keine Tradition wagt diese Redeweise in die Rede anderer zu übertragen. Sie bleibt als ein Charakteristikum dem Herrenwort reserviert« ist solange wertlos, wie es nicht durch eine genaue traditionsgeschichtliche Untersuchung abgesichert ist. Diese müsse von Fall zu Fall durchgeführt werden und würde zu unterschiedlichen Ergebnissen führen. Daß die Formel nicht ausschließlich als Kennmarke der Worte Jesu in der Tradition verstanden worden ist, ergibt sich aus dem vorangestellten λέγω γὰρ ὑμῖν (Ich aber sage euch) in dem Täuferwort Mt 3,9 = Lk 3,8.

Einen weiteren Ansatzpunkt für die Kritik bietet die These von Jeremias, die synoptische Tradition zeige eine Tendenz zum Auslassen, Ersetzen und Übersetzen der »Amen«-Formel. Abgesehen davon, daß die exakte traditionsgeschichtliche Analyse das Gegenteil, nämlich die Formelvermehrung bei Matthäus und Lukas, erweise und zu der Vermutung berechtige, es liege eher die umgekehrte Tendenz vor[9], könne die Prämisse von Jeremias genausogut zu entgegengesetzten Schlußfolgerungen führen. Denn das Auslassen der Formel kann ja auch ein Zeichen dafür sein, daß man

---

[7] *Jeremias*, Theologie 44.

[8] *Lohmeyer*, Matthäus 116, spricht von einem »untrüglichen Siegel dessen, der als der noch verborgene Herr der Endzeit als der Menschensohn offenbarend redet«. G. *Friedrich*, προφήτης, in: ThW VI, 829-863, denkt an eine Proklamationsformel des Messias-Königs, in der sich die Vollmacht und die Autorität des eschatologischen Propheten zeige. *Schürmann*, Sprache des Christus 93 und 96f versteht die Formel als Kennzeichen der Andersartigkeit und jenseitigen Fremdheit des Offenbarungswortes. H. *Schlier*, Ἀμήν, in: ThW I, 339f: »Damit ist aber in dem ἀμήν vor dem λέγω ὑμῖν Jesu *die ganze Christologie in nuce* enthalten: der, der sein Wort als ein wahres = festes aufstellt, ist zugleich der, der sich dazu bekennt und es in seinem Leben festmacht, und so wiederum als das erfüllte zur Forderung an den Anderen werden läßt«.

[9] Vgl. *Vielhauer*, Weg 65f.

ihre Bedeutung für die ipsissima vox entweder sehr früh vergessen oder als bedeutungslos erachtet hat.

Das alles sei Anlaß zur Vorsicht gegenüber dem augenblicklichen Trend, theologische Aussagen der synoptischen Tradition in der judenchristlichen, hebräisch sprechenden Urgemeinde zu lokalisieren, um so eine direkte Rückführung auf Jesus zu ermöglichen. Das gelte ganz besonders für die »Amen, ich aber sage euch«-Formel.

V. Hasler[10], der sich mit den Thesen von J. Jeremias kritisch auseinandersetzt, glaubt nachweisen zu können, daß die Formel erst in einem relativ späten Stadium des Traditionsprozesses eingefügt worden sei. Der entscheidende Hintergrund sei das Schwinden des Charismas, das eine Historisierung des Kerygmas bedingt habe. Jetzt seien Logienreihen gebildet und zu paränetischen, katechetischen und polemischen Zwecken verwendet worden. Der Glaube zeichnet nun mit Hilfe solcher Logienreihen ein Jesusbild, das durch die Formel, die man Jesus in den Mund legt, als ursprünglich und historisch echt ausgewiesen werden soll.

Ein Überlieferungsvorgang von Worten Jesu unter der Kennmarke von »Herrenworten« sei aufgrund der theologischen Voraussetzungen der vorösterlichen Jüngergemeinde und auch der frühen nachösterlichen Gemeinde unvorstellbar. Hasler[11] bemerkt dazu: »Die eigentümliche Stellung, die die Jünger Jesu als Augen- und Ohrenzeugen in der späteren Gemeinde einnahmen, besteht darin, daß sie gerade nicht als Garanten und Tradenten der ursprünglichen Jesusworte auftraten, sondern den Auferstandenen bezeugten. Ihnen ging es nicht um die Feststellung und Weitergabe einer Traditionskette von ursprünglichen Aussprüchen des Meisters, sondern um die Beglaubigung der Identität der geglaubten und verkündigten Erlösergestalt mit dem Mann aus Nazareth. Die judenchristlichen Gruppen lebten zudem in der unmittelbaren Erwartung des Menschensohnes, und ihr apokalyptischer Enthusiasmus bot einer Traditionsbildung gar keinen Ansatz. Die hellenistischen Gemeinden bedurften der historischen Worte nicht, weil

---

10 Amen.
11 Amen 184ff.

94

die charismatische Erfahrung ihnen die Geistworte des Erhöhten schenkte. Weder die messiasgläubigen Judenchristen noch die geist-bewegten Gemeinden der Griechen klammerten sich an die Worte des Irdischen. Nirgends stoßen wir auf Analogien zur Praxis der Rabbinenschüler, welche die Aussprüche der Väter und ihrer Lehrer zur Torainterpretation memorierten, um sie weiterzugeben«.

Es wird deutlich, daß es sich um eine weitreichende Hypothese handelt. Wenn sie Recht hätte, wäre der Zugang zur Sprache Jesu und damit auch zu dem besonderen Anspruch Jesu abgeschnitten. Eine ausführliche Auseinandersetzung kann an dieser Stelle nicht durchgeführt werden. Nur einige Anmerkungen sollen gemacht werden[12]: Ist schon die Rückführung der Formel auf den alttesta-mentlichen Prophetenspruch und die alttestamentliche Botenformel hypothetisch, so ist die Angleichung der synoptischen Formel an die in den paulinischen Briefen greifbare Gemeindeprophetie ziemlich gewagt. Jedenfalls reicht die geistreiche Konstruktion nicht aus, um damit die an sich naheliegende historische Komponente der synoptischen Tradition zu negieren. Fraglich ist dann weiter die Behauptung, daß es in der frühesten nachösterlichen Gemeinde keinerlei Interesse an den Worten Jesu gegeben habe und daß die Tradierung solcher Worte angesichts des apokalyptischen Enthu-siasmus keinerlei Rolle gespielt habe. Geht man davon aus, daß es eine personale Identität des Jüngerkreises vor Ostern und nach Ostern in den wichtigsten Gestalten gegeben hat, dann fordert das geradezu eine Rückbesinnung auf diesen Jesus, den Gott nun er-höht hat, heraus. Es kann ferner nicht geleugnet werden, daß ne-ben den Propheten in der frühen Gemeinde von Anfang an die Lehrer eine wichtige Rolle gespielt haben. Ihre Lehre war sicher mehr als prophetischer Zuspruch. Eine judenchristliche Gemeinde sah in dem Lehrverfahren der Rabbinen sicher eine gewisse Ana-

---

[12] Zur kritischen Auseinandersetzung mit Hasler vgl. *Jeremias*, Theo-logie 44 Anm. 38. Zum Grundsätzlichen dieser These vgl. vor allem *Roloff*, Kerygma 270: »Unsere Untersuchung hat zu dem Ergebnis geführt, daß historisierende Motive innerhalb des von uns überschau-baren Gestaltungs- und Tradierungsprozesses der Jesusgeschichten von den Anfängen an eine weit größere Rolle gespielt haben, als vielfach angenommen worden ist«.

logie, wenngleich natürlich die österliche Erfahrung ihrer Botschaft einen grundlegend neuen Stempel aufgedrückt hat.

Der kurze Überblick über die These und die Antithese führt zu dem Ergebnis, daß die »Amen, ich aber sage euch«-Formel innerhalb des synoptischen Traditionsgutes einen eigenen Klang hat. Sie kann den Gesamteindruck, den man aus weiteren, relativ unverdächtigen Jesusworten erhält, gut abstützen. Ein zwingendes Kriterium für die Authentizität eines bestimmten Logions kann die Formel allein jedoch nicht sein.

Dasselbe gilt wohl auch für die antithetische Verwendung des »Ich aber sage euch« in der Bergpredigt des Matthäus. Für gewöhnlich erblickt man darin das typische Kennzeichen für den Autoritätsanspruch Jesu gegenüber dem Gesetz des Moses. Der Behauptung von E. Käsemann[13], die gesamte Exegese sei sich darin einig, »daß an der Authentie der ersten, zweiten und vierten Antithese der Bergpredigt nicht gezweifelt werden kann«, stehen zum mindesten die Ansichten von H. Braun entgegen. Die Formel und der aus ihr abgeleitete Anspruch stünden in keinem Verhältnis zu der damit verbundenen inhaltlichen Aussage. Die Sachaussage der drei genannten Antithesen sei ja nicht in dem Sinne revolutionär, daß man von einer Überbietung der Autorität des Moses sprechen könne. Jesus habe lediglich das Gesetz in einer Weise verschärft, wie es andere vor ihm und nach ihm auch getan hätten. Matthäus habe die drei Logien, die sich bei Lukas in der einfachen Aussageform finden, in die Form der Antithese gegossen und damit das antinomistische Jesusbild geschaffen, das vom sachlichen Gehalt der Aussage her nicht zu vertreten sei. Das »Ich aber sage euch« sei mehr auf die christologische Deutung des Redaktors zurückzuführen.[14]

---

[13] Das Problem des historischen Jesus, in: Exegetische Versuche I 206.

[14] *Braun*, Radikalismus II 5 Anm. 2: »Daß Mt Jesus in diese Antithese hineinstellt, liegt ja auf der Hand. Daß aber Jesu Widerspruch gegen Einzelheiten der Toravorschriften ursprünglich den Sinn solchen gezielten Widerspruchs gegen Moses gehabt habe, muß m. E. bezweifelt werden. Denn die Verschärfungen und Aufhebungen in der Sekte wollen auch weder grundsätzlich gegen die Mosesautorität angehen noch als Messiastora verstanden werden. Der teilweise antitoramäßige

Natürlich ist zu dieser These von Braun manches kritisch anzumerken. Handelt es sich bei den drei Antithesen — auch ohne die einleitende Formel — wirklich nur um Gesetzesverschärfung im Sinne »des ins Innere des Menschen verlegten Zaunes um das Gesetz«[15], oder muß man nicht doch E. Käsemann recht geben, der trotz der formalen Angleichung an die Sprechweise eines die Tora interpretierenden Rabbi von einer Autorität spricht, welche neben und gegen diejenige des Moses tritt?[16]

Für unsere Frage ist entscheidend, daß die Formel allein die Autorität nicht begründet, sondern daß in jedem Fall der Anspruch von der Sache hergeleitet werden muß. Die Formel ist bei Matthäus redaktionell; sie interpretiert und betont die Sache treffend, aber als Element der Sprache Jesu ist sie nicht genügend gesichert.

Die gleichen Vorbehalte gelten auch für die Untersuchung von H. Schürmann zur »Sprache des Christus«. Hier geht es nicht nur um die »ipsissima vox Jesu«, sondern um den darin erkennbaren und anhand von bestimmten sprachlich-formalen Beobachtungen und charakteristischen Merkmalen feststellbaren hohen Anspruch des Christus. Eine Christussprache gäbe es nicht erst im vierten Evangelium, sondern schon in den Anfängen der synoptischen Tradition. »Die Christussprache mußte — heilsgeschichtlich notwendig — in der ipsissima vox Jesu noch ebenso verborgen sein wie die Hoheit des Christus, die Herrlichkeit des Kyrios in dem Zimmermannssohn von Nazareth. In der apostolischen Wiedergabe der Worte Jesu mußte aber der innere Klang der Christussprache lauter vernehmbar werden, weil ja im apostolischen Kerygma der Kyrios selber spricht.«[17]

Schürmann geht also davon aus, daß die Christuswirklichkeit von Anfang an die Christussprache mitbestimmt hat. Wenn diese Prä-

---

Inhalt der Verkündigung Jesu trifft zu; die Grundsätzlichkeit der antitoramäßigen Form dürfte sekundär sein«.

[15] *Lehmann,* Quellenanalyse 191f.

[16] *Käsemann,* Exegetische Versuche I 206. Für die Antithese Mt 5,31f (Ehescheidung); 5,38ff (Wiedervergeltung); 5,43ff (Feindesliebe) kann die Überbietung und Außerkraftsetzung des Gesetzes wohl kaum bestritten werden.

[17] *Schürmann,* Sprache des Christus 84f.

misse stimmt, dann ist die Folgerung natürlich einsichtig. Aber hier geht es ja doch wohl zunächst darum, mit Hilfe der Folgerungen, also der philologisch fixierbaren sprachlichen Eigentümlichkeiten, die Prämisse abzusichern. Das scheint uns ein circulus vitiosus zu sein, auf den auch Hasler in seiner Studie zur »Amen«-Formel aufmerksam macht (182).

Trotzdem verdient dieser Versuch Beachtung. Manche der zweiundvierzig von Schürmann aufgezählten Sprachcharakteristika erweisen sich zwar bei genauerem Zusehen als redaktionell, aber es wird hier doch ein »Sprachbild« aufgezeigt, das als Ganzes auf Jesus zurückweist[18] und die besondere Idiomatik der gesamtneu-

---

[18] *Schürmann* nennt folgende Sprachmerkmale: 1. Die Sprache des Christus klingt feierlich-erhaben. Das betonte Personalpronomen stellt Jesus gebührlich heraus. In den Evangelien fällt die Beschränkung dieses Stilelements auf die Herrenworte auf. Weitere Kennzeichen der Christussprache sind die Verwendung des Menschensohn-Titels durch Jesus sowie die Vateranrede. Ferner fällt auf, daß die Anrede »Mensch« (ἄνθρωπε) fast nur im Munde Jesu vorkommt. Schürmann vermutet dahinter eine christologische Tendenz, genauso wie hinter der Redeweise ὁ λόγος μου, ὁ ἐμὸς λόγος und hinter der Formel »ich bin gekommen« (ἦλθον), die das Sendungsbewußtsein ausdrückt. 2. Die Sprache des Christus klingt hoheitsvoll, so etwa in der Formel »es werden Tage kommen« (ἔρχονται ἡμέραι) oder in dem Demonstrativpronomen »und siehe« (ἰδού). Die gründliche Untersuchung von *Fiedler*, Die Formel »und siehe« im Neuen Testament, München 1969, hat nachgewiesen, daß die Formel in sehr unterschiedlicher Weise im gesamten Neuen Testament Verwendung gefunden hat und daß die Partikel wohl als ein Element des auf Verkündigung abzielenden Stils der ntl. Schriftsteller anzusehen ist (83). Ihre Grundfunktion: Sie soll den Hörer und Leser ansprechen und auf das hinlenken, was jeweils so gesagt wird (83). Nach dem Ergebnis dieser Untersuchung wird man die Formel nur in dem Sinne als Merkmal der »Christussprache« verstehen können, daß ein Rückbezug auf die ipsissima vox Jesu nicht in jedem Fall beansprucht wird. Schürmann macht ferner darauf aufmerksam, daß in manchen Fällen eine Anrede doppelt vorkommt und für die Rede Jesu typisch sei. 3. Die Sprache des Christus ist fremdandersartig. Fremdländische Wörter und Namen werden von Lk in auffälliger Weise gemieden oder entschuldigt — ein Hinweis darauf, daß Jesus sie gebraucht hat. Der fremdländische Name Satanas findet sich in den Evangelien vorzugsweise in Herrenworten. Dasselbe gilt für die Petrusanrede »Simon, Barjona« (Mt 16,17). »Die pleonastische

testamentlichen Christussprache erkennen läßt. Was man vermißt, ist eine detaillierte traditionsgeschichtliche Untersuchung und Absicherung der Thesen. Wie die Untersuchungen von Fiedler und Hasler gezeigt haben, würde man da zu differenzierten Ergebnissen kommen. Es zeigt sich auch hier genauso wie bei Jeremias, daß sich alles auf die Frage nach gesicherten Kriterien zuspitzt.

IV. DIE GLEICHNISSE ALS KRITERIUM

Ein für die Bestimmung der echten Jesuslogien überaus wertvolles Kriterium ist sicher in den Gleichnisreden Jesu zu erblicken.[1] »Daß

Setzung des Personalpronomens nach dem Relativum ist eine durch das Semitische besonders nahegelegte, aber auch dem klassischen und späten Griechisch nicht ganz unbekannte Nachlässigkeit« (95). Auffällig ist die subjektlose dritte Person Plural, ein Aramäismus, der die Fremdheit der Sprache Jesu deutlich werden läßt. Ferner fällt auf, daß nur in Herrenworten παρά und ὑπέρ im komperativen Sinne gebraucht werden. 4. Die Sprache des Christus führt sich selbst als bedeutsam und beachtlich ein. Ein Stilmittel ist das vorangestellte »Amen« (vgl. jedoch die Ergebnisse der Untersuchung von V. Hasler!). Dasselbe gilt für die Formel »Ich aber sage euch«. Das bei Mk häufige ὅτι-recit. wird von den Seitenreferenten in sehr unterschiedlicher Weise beseitigt oder auch beibehalten oder auch ergänzt. Schürmann glaubt, daß die Absicht, Herrenworte deutlich als direkte Rede erscheinen zu lassen, als Grund für das häufige Verschwinden des ὅτι-recit. anzusehen ist. 5. Die Christussprache besitzt eine besondere eschatologische Aktualität, die sich auch formal bemerkbar macht, z. B. in der Zeitpartikel νῦν, ἀπὸ νῦν, τότε. 6. Die Christussprache ist machtvoll-entschieden. Darauf weist die Formel οὐ μή hin, die in der großen Mehrzahl der Stellen in Herrenworten verwendet wird. Dasselbe gilt für οὐχί, οὐχὶ ἀλλά und ἀλλά. Ferner für πλήν und οὗτος, das auf ὅς folgt, und die häufige Verwendung des Asyndeton in Jesusreden. 7. Die Sprache des Christus ist gebieterisch. Das zeigt sich in dem Befehlsruf: ἀκολούθει μοι. Strikte Gebote und Verbote werden wie im AT oft durch ein Futur wiedergegeben. Die Imperative ὕπαγε und ὑπάγετε sind typisch für Jesus. Ferner die Imperative ἔγειρε und ἐγείρεσθε, das δεῦρο und das ὅρα und ὁρᾶσθε.

[1] Vgl. *Conzelmann*, in: RGG³ III, 643: »Den gegebenen Ausgangspunkt für die Rekonstruktion bilden die *Gleichnisse*, da sie einen gesicherten Bestand echter Überlieferung enthalten. Gewiß sind auch sie da und

diese zum Urgestein der Überlieferung über ihn gehören, ist heute
— unbeschadet der Notwendigkeit kritischer Analyse jedes einzelnen Gleichnisses und seiner Überlieferungsgeschichte — allgemein
anerkannt.«[2]

W. Heitmüller[3] hatte den Grundsatz aufgestellt, daß von den
Gleichnissen Jesu »dasjenige als ursprünglich zu gelten habe, was
individuell, markant und original erscheint«. Für einen großen
Teil der Jesusgleichnisse läßt sich diese Originalität durch einen
Vergleich mit den rabbinischen Gleichnissen und mit den nachneutestamentlichen christlichen Zeugnissen dieser Literaturgattung
anschaulich aufzeigen. Während Jülicher[4] die Besonderheit der
Jesusgleichnisse in der einheitlichen Form sieht, entdeckt P. Fiebig[5]
die Spracheigentümlichkeiten Jesu im Inhalt. Hier fallen auf den
ersten Blick die »natürliche Frische und Anschaulichkeit«, die Unmittelbarkeit und die Lebensnähe auf. Man könnte ferner noch
auf einige sprachliche Beobachtungen aufmerksam machen, etwa
auf den häufig verwendeten Parallelismus membrorum und die
dadurch erreichte Kontrastwirkung[6], oder die singuläre Einlei-
tungsformel: »Wer unter euch?«.

Der wesentliche Unterschied liegt in der Unmittelbarkeit und Di-
rektheit der religiösen Aussage. Hier wird nicht theologisiert wie

dort im Sinne der späteren Gemeindeanschauung übermalt, aber diese
sekundäre Schicht läßt sich in vielen Fällen leicht abheben (J. Jeremias). In den Gleichnissen zeigt sich nun eine spezifische Struktur der
Einstellung auf die Zukunft: das Reich ist künftig, drängend nahe
und heute in Jesu Tat und Wort wirksam (Bild vom Säen). Dieselbe
Struktur zeigt sich dann auch in einer großen Zahl der Logien, schon
in der Form derselben (J. M. Robinson). Die Echtheit dieses Kern-
bestandes wird, außer durch die formalen Indizien, auch durch den
Inhalt erwiesen, sofern die Verknüpfung der Zukunftserwartung mit
der Person Jesu eine einmalige, unwiederholbare Situation voraussetzt, in die sich die Gemeinde nach Ostern nicht mehr ohne weiteres
zurückdenken konnte«.

[2] *Jeremias*, Theologie 39.

[3] Jesus Christus, in: RGG[1] III, 361.

[4] Gleichnisreden Jesu 25-118.

[5] Altjüdische Gleichnisse 90.

[6] Vgl. *N. A. Dahl*, Gleichnis und Parabel, in: RGG[3] II, 1617-1619;
Jeremias, Gleichnisse Jesu 145.

bei den Rabbinen, hier ist Anrede und Anspruch Gottes. Es geht sowohl um Gericht und Entscheidung, als auch um die Zuwendung des göttlichen Erbarmens. Dahinter steht die Botschaft und Sendung Jesu, die sich in der Verkündigung des Gottesreiches, das drängend nahe gekommen ist, ausspricht. Was von den Rabbinen lediglich als pädagogisches Hilfsmittel verstanden wurde und als trockene Schulweisheit sich darstellte, ist bei Jesus lebensvolle Wirklichkeit. Man muß darum J. Jeremias zustimmen, der sagt[7]: »alle Gleichnisse Jesu zwingen den Hörer, zu Seiner Person und Seiner Sendung Stellung zu nehmen«. E. Fuchs trifft das Entscheidende, wenn er von dem impliciten christologischen Selbstzeugnis der Gleichnisse spricht.[8]

Selbstverständlich können wir nicht den Anspruch erheben, eine umfassende Charakterisierung und inhaltliche Bestimmung der Jesusgleichnisse auch nur im entferntesten vorzulegen. Es soll nur aufgezeigt werden, daß es grundsätzlich möglich ist, ausgehend von dem relativ gesicherten Bestand der Jesusgleichnisse und vor dem Hintergrund ihrer formalen und inhaltlichen Wesensmerkmale, Kriterien herauszufinden, die Maßstab sein können für die Sichtung der übrigen Wortüberlieferungen. Die Gleichnisse ermöglichen einen Zugang zur Gottesanschauung Jesu, zu den zentralen Bestandteilen seiner Verkündigung, also zur Botschaft vom Gottesreich, zu dem Entscheidungscharakter dieser Reich-Gottes-Verkündigung, zu dem Vollmachtsanspruch Jesu, der sich aus der Verkündigung ablesen läßt. Wir haben hier die Möglichkeit, einen ungefähren Zugang zu finden zu den eschatologischen Vorstellungen Jesu, wenngleich natürlich immer mit redaktionellen Ergänzungen und Umformungen gerechnet werden muß. Gotteskindschaft, Gottes verzeihende Barmherzigkeit und Liebe zu den Verlorenen, aber auch der mahnende Bußruf angesichts des nahe bevorstehenden Gerichts, die Mahnung zu ständiger Wachsamkeit und die Aufforderung, um des Himmelreiches willen alles hinzugeben — dieses sind die Kernthemen der Gleichnisverkündigung, die

---

[7] *Jeremias*, Gleichnisse Jesu 194.
[8] *E. Fuchs*, Bemerkungen zur Gleichnisauslegung: ThLZ 79 (1954) 345-348.

auch im begrenzten Rahmen inhaltliche Kriterien für das übrige Redenmaterial sein können. Trotzdem bleibt noch manches unsicher. »Ein Gesamtverständnis ergibt sich nur im Zusammenhang mit dem, was auch sonst von der Botschaft, dem Verhalten und dem Kreuzesweg Jesu zu erheben ist.«[9]

V. DIE ERZÄHLUNGSEINHEITEN ALS KRITERIUM

Wie sieht es nun mit den Erzählungseinheiten aus, also mit jenen Traditionsstücken, die formgeschichtlich als Paradigmen und Novellen (Dibelius) oder als Apophthegmata (Bultmann) angesprochen werden? Die Botschaft Jesu im Wort hat ja ihren Rückhalt in den Taten Jesu. Die Aufteilung des synoptischen Traditionsgutes in Redestoff und Erzählstoff ist vom methodischen Vorgehen der Formgeschichte her ohne Zweifel gerechtfertigt. Sie darf jedoch nicht dazu führen, daß die in der Person Jesu vorgegebene ursprüngliche Einheit und gegenseitige Bezogenheit verdunkelt oder vergessen wird. Die Texte selbst lassen immer wieder erkennen, daß die Taten Jesu von Anfang an auf die Deutung durch sein Wort angelegt sind und daß die Worte dazu drängen, sich in Taten zu konkretisieren. Es muß also grundsätzlich möglich sein, Worte Jesu vom Gesamteindruck seines Verhaltens her zu beurteilen und umgekehrt die Logientradition und die Gleichnisüberlieferung zum Kriterium für die Beurteilung der Erzählungseinheiten zu machen. E. Fuchs sagt zu Recht: »Es genügt, wenn wir in Wort und Tat Jesu dieselbe Richtung finden«.[1] Hier stellt

---

[9] *Dahl*, aaO. 1617-1619.
[1] *Fuchs*, Jesus 155.
Auf die Bedeutung der Taten für das Gesamtverständnis Jesu hat *Pesch* in seiner Studie »Jesu ureigene Taten?« aufmerksam gemacht. Dort heißt es: »Jesu Machttaten sind ... damit für das Verständnis von Jesu Anspruch (und damit für den christlichen Glauben) höchst bedeutsam. Die Machttaten Jesu sind ›Illustrationen‹ seiner Botschaft, wie die Wundergeschichten (zumindest überwiegend) gleichsam ›Illustrationen‹ der urkirchlichen Christologie sind. Wie die Erhellung der kirchlichen Christologie nicht auf die Interpretation der Wundergeschichten verzichten kann, so kann und darf ein theologisches Ver-

sich freilich zunächst die grundsätzliche Frage, ob es überhaupt möglich ist, auf historisch-kritischem Wege an das Urgestein der Jesustaten heranzukommen. Gilt hier nicht in noch stärkerem Maße als bei der Wortüberlieferung, daß Glaube und Verkündigung der Gemeinde das gesamte Traditionsgut in einem solchen Maße überformt haben, daß eine nachträgliche Scheidung von kerygmatischem Gut und historischer Erinnerung sich prinzipiell verbietet? Man würde diese Frage ohne Zweifel bejahen müssen, wenn das Kerygma das Traditionsgut nicht nur überformt, sondern geradezu absorbiert hätte. Daß dieses nicht der Fall ist, ergibt sich eindeutig aus der Gattung der Evangelienschrift. Das Kerygma setzt das historische Element geradezu voraus. Umgekehrt ist natürlich auch die geschichtliche Erinnerung aufgrund der Verbindung mit dem Kerygma bis zu einem gewissen Grade »verfremdet« worden. Aber grundsätzlich wird man daran festhalten müssen, daß über die bloße Tatsache, das »Daß« des Gekommenseins Jesu, hinaus weit mehr Historisches in den synoptischen Evangelien enthalten ist, als die Kritiker zugeben wollen.[2]
Die Diskussion über dieses Problem ist bislang in einem mehr theoretischen Rahmen geführt worden. Wie überall, so verlangen aber auch hier die grundsätzlichen Thesen nach einer kritischen

---

ständnis Jesu, die Erarbeitung einer ›impliziten Christologie‹, nicht auf die Erörterung der Machttaten Jesu, die durch sein Wort gedeutet werden und seine Botschaft deuten, verzichten« (147).
Pesch macht sich die Feststellung von J. Blank zu eigen, daß alle Christologie bei Jesus ansetzen muß, »dem Menschen Jesus von Nazareth und seinem Wort«. Worte Jesu und Taten bieten eine breitere Basis für die Erfassung der Christologie in den Anfängen, als es von den Titeln und Formeln her möglich ist.
[2] Hier wäre natürlich die Frage genauer zu prüfen, welchen Grad von Geschichtlichkeit wir im Einzelfall feststellen können. Pesch macht mit Recht darauf aufmerksam, daß bei den Wundererzählungen beispielsweise die flache Alternative »historisch-unhistorisch« nichts taugt. Historische Wirklichkeiten sind in jedem Fall in alle Erzählungen eingegangen. Es ist nur die Frage, ob das historische Element auch deckungsgleich ist mit dem tatsächlichen Geschehensablauf. Hier wird man zu sehr unterschiedlichen Ergebnissen kommen (Jesu ureigene Taten 143).

Absicherung im Detail. Hier muß die Studie von J. Roloff[3] genannt werden, die an einigen zentralen Themenkomplexen nachgewiesen hat, daß synoptische Erzählungseinheiten trotz der Neugestaltung durch das Gemeindekerygma im wesentlichen unverfälscht bewahrt und überliefert worden sind.

Wir können auf die Einzelanalysen nicht eingehen, möchten aber das nicht unbedeutende Ergebnis der Studie nennen: »Hinter der Überlieferung vom Erdenwirken Jesu zeichnen sich stabilisierende, ein gewisses Maß von Kontinuität bewirkende Faktoren ab. Das heißt, wir dürfen damit rechnen, daß es nicht nur bei der Überlieferung der Worte Jesu, sondern auch bei der der Jesuserzählungen ein ›gepflegtes Traditionskontinuum‹ gegeben hat.«[4]

Wenn man bedenkt, daß bislang für die gesamte exegetische Forschung die Traditionsbildung allein in der Urgemeinde ihren Anfang hat und die Frage nach der »Vorgeschichte« dieser Traditionen völlig indiskutabel war, dann kommt es schon einer kleinen Sensation gleich, wenn eine traditions- und redaktionsgeschichtliche Untersuchung über die Evangelienerzählungen zu dem Ergebnis kommt, »daß historisierende Motive innerhalb des von uns überschaubaren Gestaltungs- und Traditionsprozesses der Jesusgeschichten von den Anfängen an eine weit größere Rolle gespielt haben, als vielfach angenommen worden ist. Nicht nur, daß sich bei vielen ... Überlieferungsstücken eine Gestaltung vom Interesse der Erinnerung her nachweisen, bei anderen zumindest wahrscheinlich machen ließ; wichtig ist darüber hinaus, daß sich in den meisten Fällen das in der Tradition vorgegebene primäre historische Motiv auch auf den verschiedenen Stufen der Redaktion nur geringfügig verschoben hat.«[5]

Es versteht sich, daß ein solches Ergebnis für die Frage nach den Möglichkeiten eines Brückenschlags von nicht zu unterschätzender Bedeutung ist. Das Kerygma ist keinesfalls der absolute Anfang, es ist begründet im historischen Leben Jesu. Jesus ist mehr als der »anonyme Ansatzpunkt« für religiöse Spekulationen bestimmter

---

[3] Kerygma.
[4] *Roloff*, Kerygma 271.
[5] *Roloff*, aaO. 270.

jüdisch-hellenistischer Gruppen, er wird als der geschichtliche Ursprung einer Bewegung erkannt, die zwar durch das österliche Ereignis entscheidende neue Impulse erhalten hat, die sich aber trotzdem niemals gelöst hat von diesen ihren Anfängen. Die so viel beklagte und heftig umstrittene Alternative »Historisches Zeugnis« oder »Glaubensbekenntnis« wäre auf diese Weise entschärft.

Natürlich kommt es ganz entscheidend auf die detaillierte Einzeluntersuchung an, die den Wegen der Tradition Schritt für Schritt nachgehen muß. Ohne Zweifel ist das ein mühsames, aber auch ein notwendiges Unternehmen. An dieser Stelle können nur die großen Linien angedeutet werden. Die auffallende Übereinstimmung zwischen Wort- und Tatüberlieferung in bestimmten Themenkreisen, wie etwa die kritische Einstellung Jesu zu den religiösen Einrichtungen des Judentums, seine Zuneigung zu den Unterprivilegierten der damaligen Gesellschaft, zu den einfachen Leuten, zu den Außenseitern, den Sündern und Gestrauchelten, die Mißachtung der konfessionellen Grenzen zwischen Juden und Samaritern, die eigentümliche und völlig unerfindliche Verschränkung von Reich-Gottes-Verkündigung und Heilswirken in Machttaten und Zeichen, lassen vermuten, daß bestimmte Grundzüge des Verhaltens Jesu in ihren typischen Eigenarten von der Tradition bewußt festgehalten und weitervermittelt worden sind. Von ganz besonderem Wert ist hier der Komplex »Jüngerschaft — Nachfolge«, der die gegenwärtige Zuordnung von Wort- und Tatüberlieferung besonders deutlich erkennen läßt.[6] Die harten Bedingun-

---

[6] Hier darf auf die Überlegungen von *Fuchs* zum Problem des »Historischen Jesus« hingewiesen werden. Bei der Frage nach den Ursprüngen der neutestamentlichen Christologie müsse man bei der Logien- und Gleichnisüberlieferung ansetzen. Die »Sprache Jesu« ermögliche einen Zugang zum Verhalten Jesu, das der »eigentliche Rahmen seiner Verkündigung war«. Fuchs macht auf einen Sachverhalt aufmerksam, dem die heutige Jesusforschung in zunehmendem Maße Beachtung schenkt. Worte Jesu und Taten Jesu müssen in ihrer gegenseitigen Verschränkung gesehen und beurteilt werden. Die synoptischen Evangelien lassen diese Zuordnung von Wortüberlieferung und Jesuserzählungen deutlich erkennen. Die Worte Jesu sind darauf angelegt, sich in Taten zu konkretisieren; umgekehrt wollen die Taten durch das Wort ge-

gen der Jesusnachfolge und der Absolutheitsanspruch der Jüngerschaft relativieren alle geschichtlichen und zeitgenössischen Parallelen. Wir werden uns mit diesem Punkt noch ausführlicher beschäftigen müssen, denn hier scheint sich in der Tat ein wichtiger Zugang zur Person Jesu mit ihrem hohen Selbstbewußtsein zu er-
öffnen.

VI. DER GESAMTRAHMEN ALS KRITERIUM

Bei den bisher besprochenen Kriterien, also bei der Sprache Jesu,
bei den Gleichnissen und bei den Erzählungseinheiten ist immer
wieder sichtbar geworden, daß ein einigermaßen verläßliches Urteil im Einzelfall von dem Gesamteindruck des ganzen Traditionsgutes abhängig ist. M. Dibelius hat das richtig gesehen: »Eine
Diskussion darüber, ob ein einzelner Spruch ›echt‹ sei, ist oft
müßig, weil die Gründe für oder wider nicht schlagend sind. Im
allgemeinen wird der Historiker gut tun, auf die Masse der Überlieferung zu sehen und nicht zuviel auf ein einzelnes Wort zu
bauen, falls es von den übrigen Traditionen abweicht«.[1] Ein solches Kriterium darf allerdings nicht zu formalistisch angewandt
werden. Die numerisch am häufigsten überlieferten Einheiten müssen nicht in jedem Fall schon die ältesten sein. Es muß durchaus
damit gerechnet werden, daß Traditionsstücke aus der frühesten
judenchristlichen Gemeinde in alle synoptischen Traditionen eingegangen sind. Die häufige Bezeugung ist also noch nicht in jedem
Fall ein Argument für die Echtheit. Auf der anderen Seite ist es
durchaus möglich, daß ein sicher authentisches Motiv nur vereinzelt
überliefert ist. Es müßte ferner genauer geprüft werden, in welchen

deutet werden. Dieses in der Sprache Jesu erreichbare »Verhalten«
birgt eine Christologie »in nuce« in sich. Es ist freilich die Frage, wie
dieses »Verhalten Jesu« konkret aussieht. Unsere Überlegungen zu
»Jüngerschaft und Nachfolge« und zum »Nonkonformismus Jesu«
wollen dazu einige Hinweise geben. Vgl. *Fuchs*, Jesus; dazu *Blank*,
Paulus und Jesus 93.
[1] *Dibelius*, Jesus 21. Zur Kriterienfrage vgl. *Lehmann*, Quellenanalyse
161-205.

Schichten der Tradition ein Logion oder eine Erzähleinheit überliefert ist und in welchem Maße solche Schichten voneinander abhängig oder unabhängig waren. Das setzt komplizierte literarkritische Überlegungen voraus, die ihrerseits wieder häufig von sachkritischen Vorentscheidungen abhängig sind. Man sieht also, daß auch bei diesem Kriterium erhebliche Einschränkungen gemacht werden müssen. Denn das Gesamtbild baut sich ja auf aus einer Vielzahl von Einzelzügen, die ihrerseits wieder vom Gesamtbild her kritisch überprüft werden sollen. Die Problematik eines circulus vitiosus darf hier nicht übersehen werden.[2]

---

[2] Es sind im Verlauf der Diskussion um den historischen Jesus eine ganze Reihe von »Gesamtbildern« von Jesus entworfen worden. *P. Schmiedel*, Gospels, in: EBB II, 1761-1898, sieht die charakteristischen Kennzeichen des historischen Jesus in seiner »Menschlichkeit«. Dementsprechend sind die »allzumenschlichen Züge« als echt und frei von den Einflüssen der Jesusverehrung zu werten. Das gleiche gilt für alle die Züge, die zum Gesamtbild des Wundertäters passen. *Dahl*, Der historische Jesus, spricht von »Querschnitten durch die Überlieferung quer durch alle Formen, Gattungen und Traditionsschichten, welche die unverwechselbare Eigenart Jesu erkennen lassen«. Dazu gehören die Verkündigung der Basileia, die kritische Einstellung zum Gesetz, sowie seine Sympathie gegenüber den Unterdrückten. *Mußner*, Der historische Jesus, zählt noch hinzu die formalen Eigenarten der Jesusverkündigung, die sich an der Weisheitsrede orientieren. *Trilling*, Geschichtlichkeit Jesu 45, spricht von der inneren Glaubwürdigkeit. »Jesus erscheint als eine Person von kraftvoller Eigenart. Seine Worte haben einen persönlichen Klang und eine unverwechselbare Farbe. Er liebt die konkrete, anschauliche, farbenreiche Schilderung, die scharfe Zuspitzung, den schneidenden Gegensatz, mitunter die groteske Übertreibung (vgl. das erwähnte Wort von dem Kamel und dem Nadelöhr), das einprägsame Wortspiel, die schlagfertige und treffende Antwort, mitunter den feinen Humor. Vieles einzelne davon findet sich auch bei anderen großen Rednern, bei den klassischen Propheten Israels und bei religiösen Erweckergestalten (zum Beispiel dem ›Lehrer der Gerechtigkeit‹ von Qumran). Aber alles zusammen ergibt doch einen charakteristischen ›Stil‹, der so nirgendwo zu finden ist. Vor allem aber bricht an vielen Stellen ein eigenartig hoheitsvolles ›Bewußtsein‹ hervor, das zu seinem ›Stil‹ in einem sehr anspruchsvollen Sinn gehört und ohne Parallele ist«. Trilling weist weiter hin auf die Einzelzüge, wie Sünderliebe, Mitleid gegenüber den Geknechteten, Härte gegen Selbstgerechtigkeit, Zorn über jede Art von Lüge und Heuchelei, radi-

VII. JUDENTUM UND URCHRISTENTUM ALS KRITERIUM

Am Beispiel des Gesamtrahmens der Jesusverkündigung ist deutlich geworden, daß die Methoden nicht exakt genug arbeiten und bestenfalls zu Annäherungswerten führen. Ein absolut gesichertes objektives Jesusbild kann schon deshalb nicht auf diesem Wege gewonnen werden, weil die gemeinte »Sache« sich grundsätzlich gegen eine objektivierende Darstellung sträubt. Der Jesus der Evangelien tritt von Anfang an mit einem besonderen Anspruch an den Leser heran. Die Auslegung wird von daher von vornherein in einem bestimmten Sinne festgelegt. Wer den »Anspruch Jesu« prinzipiell bejaht, wird seine Person in einem ganz anderen Licht zu sehen geneigt sein, als derjenige, der aufgrund eines — wie er meint — modernen Wirklichkeitsverständnisses prinzipiell das Einwirken von transzendenten Mächten ausschließt. Das Gesamtbild von Jesus wird im einen oder anderen Fall aufgrund der jeweiligen Vorentscheidungen ganz anders aussehen.

---

kale Bezogenheit auf Gott. »Dieses Gesamtbild ist ebenfalls unerfindbar und muß *im ganzen* geschichtlich zuverlässig sein« (46). Im gleichen Sinn äußert sich auch *Althaus*, Kerygma 43. Die Grundzüge der Haltung Jesu und die Grundgedanken seiner Verkündigung seien in allen Schichten der Tradition zu erkennen. »Seine Demut unter Gott, und untrennbar davon Anspruch und Ausübung der von Gott gegebenen Vollmacht, die Hingabe an die Sache des Vaters und in gleichem Atem die Hingabe an die Menschen im Dienen; der radikale Ernst der Forderung, des Urteils, des Richtens der Herzen — und das grenzen- und bedingungslose Vergeben bei den Verschuldeten; die Zuwendung gerade zu den Bedürftigen, den ›Armen‹, den ›Sündern‹; die Gewißheit der Gottesstunde für sie — das sind einige der überall begegnenden durchfahrenden Züge. An ihnen erkennt man ihn überall wieder. Sie sind kein Wunschbild menschlicher Heilserwartung; dazu sind sie zu konkret und zu individuell berichtet, dazu widerspricht das Bild Jesu zu sehr aller Erwartung, es erschreckt und gibt Anstoß, den die späteren Texte schon mildern und beseitigen wollen«. Alle diese Gesichtspunkte ergeben in ihrer Gesamtheit ein Jesusbild, das wegen der Originalität der Grundstruktur mit höchster Wahrscheinlichkeit als echt angesehen werden muß. Als allgemeines heuristisches Mittel fordern sie jedoch im Einzelfall die Ergänzung durch weitere Kriterien.

Trotzdem darf die Frage, ob es nicht doch ein Kriterium gibt, das mehr Objektivität garantiert, nicht vorschnell beiseite geschoben werden. In der Tat hat man geglaubt, ein solches in der Abgrenzung der Gestalt und Verkündigung Jesu von der frühchristlichen Gemeindetheologie und vom Judentum gefunden zu haben. E. Käsemann sagt dazu: »Einigermaßen sicheren Boden haben wir nur in einem einzigen Fall unter den Füßen, wenn nämlich Tradition aus irgendwelchen Gründen weder aus dem Judentum abgeleitet noch der Urchristenheit zugeschrieben werden kann, speziell dann, wenn die Judenchristenheit ihr überkommenes Gut als zu kühn gemildert oder umgebogen hat«.[1]

Auf den ersten Blick scheint dieses Verfahren erfolgversprechend zu sein. Aber beim genauen Hinsehen werden die Schwächen sichtbar. Nehmen wir zunächst die Abgrenzung Jesu von der Gemeindetheologie. Hier stellt sich die Frage, was denn eigentlich die urchristliche Gemeinde ist. Die frühe Gemeinde ist ja keineswegs jene einheitliche und geschlossene Größe, wie es das Kriterium voraussetzt. Moderne Untersuchungen haben aufgezeigt, daß die seit F. Chr. Baur üblich gewordene Zweiteilung in judenchristliche und heidenchristliche Gemeinde zu ungenau ist. Neben der aramäisch sprechenden Gruppe gab es in Jerusalem den Kreis der Hellenisten, Leute also, die trotz jüdischer Herkunft mit griechischer Kultur und Sprache vertraut waren.[2] Infolge der Mission kam sehr bald eine dritte Gruppe hinzu, die Heidenchristen, die teilweise in erheblichen Spannungen mit den Christen jüdischer Herkunft lebten.[3] Klare Grenzziehungen sind deshalb schwierig, wenn nicht unmöglich, weil wegen der mangelhaften Quellenlage — es stehen nur gelegentliche Hinweise und Andeutungen zur Verfügung — ein genaues Bild der einzelnen Gruppen kaum gewonnen werden kann. Die Geschichte der frühchristlichen Theologie

---

[1] *Käsemann,* Exegetische Versuche I 205.
[2] Vgl. *Conzelmann,* Geschichte 42-45. Über die weitere Entwicklung des Judenchristentums vgl. *G. Strecker,* Zum Problem des Judenchristentums. Nachtrag zu *Bauer,* Rechtgläubigkeit und Ketzerei, 245-287. *R. N. Longenecker,* The Christology of early Jewish Christianity, London 1970.
[3] Vgl. *Conzelmann,* aaO. 53-62.

kann daher nur in großen Zügen und mit manchen Unsicherheiten gezeichnet werden.

Was bedeutet das für das Problem der Abgrenzung zwischen Jesus und der Urgemeinde? Wir haben bei der Behandlung der Hoheitstitel feststellen können, daß in der Frage der Authentizität in den Fällen das Urteil verhältnismäßig einfach ist, wo die Vorstellungen aus dem hellenistischen Raum stammen. Hierhin gehören beispielsweise Wesensaussagen über den Sohn Gottes, die sich vor allem bei Paulus und Johannes finden. »Der Gottessohn ist nach der hier überall zugrunde liegenden Vorstellung der hellenistischen Christen also ein Wesen, das von jeher zu Gott gehört, das aus Gottes Welt in diese Welt gesandt wird und nach Erledigung seiner Aufgabe in die Welt Gottes zurückkehrt und dort an Gottes Herrschaft in dem Umfang Anteil erhält, in dem diese Herrschaft in der Gegenwart bis zur Parusie schon Wirklichkeit geworden ist.«[4] Aber die Titel wie »Sohn Gottes« und »Kyrios« lassen schon erkennen, daß eine klare Abgrenzung zwischen judenchristlichen und heidenchristlichen Vorstellungen nicht immer möglich ist.

Schwieriger ist die Frage der Abgrenzung Jesu von der judenchristlichen Gemeinde. Es stehen kaum Quellen zur Verfügung, die uns einen zuverlässigen Einblick in diesen Bereich gewähren. Die Apostelgeschichte, die von den Anfängen der Urgemeinde berichtet, ist ein idealisierender Bericht und darum im Detail nicht unbedingt zuverlässig. Der Verfasser ist selbst kein Augenzeuge; er schreibt etwa ein halbes Jahrhundert später und berichtet über die Anfänge nicht distanziert-sachlich, sondern eher engagiert. Zwar liegen alte Überlieferungen zugrunde. Aber es ist sehr schwer, ihren Umfang und Wortlaut genauer zu bestimmen. Aus diesem Grunde muß das meiste hypothetisch bleiben. Die Forschung kann sich allenfalls um die Erhebung von »charakteristischen Elementen« bemühen.[5]

---

4 *Kümmel*, Theologie 107.

5 Vgl. O. *Kuss*, Die Rolle des Apostels Paulus in der theologischen Entwicklung der Urkirche: MThZ 14 (1963) 110ff. Kuss weist auf folgende, für den Glauben der ältesten palästinensischen Gemeinde charakteristischen Elemente hin: Einfache Christologie, die sich an die

Speziell im Bereich der Christologie ist es kaum möglich, eine exakte Abgrenzung zwischen den theologischen Elementen der judenchristlichen Gemeinde und den möglichen Selbstaussagen Jesu vorzunehmen. Das zeigt sich deutlich an den Titeln, die der Tradition des Judentums entnommen sind, wie etwa Messias oder Davidssohn. Manches, das aufgrund dieses Kriteriums als echtes Jesuswort ausgegeben wird, kann durchaus auf Gemeindepropheten zurückgehen, welche Worte des Erhöhten in der Form echter Jesusworte verkündet haben. Wir können also feststellen, daß der erste Teil des Kriteriums im konkreten Fall äußerst ungenau und wenig brauchbar ist.[6]

Wie verhält es sich nun mit dem zweiten Teil, daß als echt alles angesehen werden muß, was nicht aus dem Judentum abgeleitet werden kann?

Der Grundsatz: »Alles, was den jüdischen Horizont übersteigt, ist für Jesus typisch« kann ebenfalls nicht als absolut zuverlässig angesehen werden. Im Gegenteil, es ist durchaus möglich, daß es authentische Jesusworte gibt, die inhaltlich kaum oder gar nicht von den jüdischen Vorstellungen abweichen. Bultmanns Zuordnung der Jesusverkündigung zum Judentum muß bis zu einem gewissen Grade ernst genommen werden. Denn »nur als Jude (vielleicht deutlicher: als Israelit) konnte er das Judentum radikal überwin-

---

Erscheinungen des Auferstandenen anschließt (Messias, Knecht, Herr); Sündenvergebung, Taufe als Aufnahmeritus, Gebet im Tempel, Tischgemeinschaft und Liebesmahl. Vgl. jetzt auch *Kuss*, Paulus 324–330.

[6] Auf das Fehlen von geeigneten Kriterien für die Erhebung einer judenchristlichen Theologie hat auch *Käsemann* hingewiesen: »Nicht anders verhält es sich mit den Kriterien auf Grund der urchristlichen Chronologie und der Vorstellungsinhalte. Wir können uns zwar einigermaßen ausreichende Anschauung über die Ablösung des nachösterlichen Enthusiasmus durch einen christlichen Rabbinat und über die weitere Entwicklung bis hin zum Frühkatholizismus verschaffen, so vieles dabei im einzelnen auch unklar bleiben wird. Doch ist uns gerade die älteste Phase, auf deren Abhebung gegenüber der Jesustradition alles ankäme, unverhältnismäßig dunkel, besonders in ihrer Soteriologie und Ekklesiologie ... Erschwert wird diese Lage noch durch den Umstand, daß wir zwischen palästinensischem und hellenistischem Judenchristentum ebensowenig exakt zu unterscheiden vermögen, wie wir umgekehrt beides einfach identifizieren dürfen« (Exegetische Versuche I 204f).

den«.[7] Sollte etwa das Wort Mk 2,27: »Der Sabbat ist für den Menschen da und nicht der Mensch für den Sabbat« nur deshalb Jesus abgesprochen werden, weil es sich auch in der jüdischen Literatur findet?[8] Ähnliche Bedenken ergeben sich bei dem Wort vom größten Gebot (Mk 12,28-34). Obwohl Jesus sich lediglich auf Normen des jüdischen Gesetzes beruft, wird doch gerade hier die Haltung Jesu besonders deutlich ausgesprochen.

Man hat deshalb versucht, dieses Kriterium weiter einzuengen. Alles das müsse als echtes Jesusgut angesehen werden, was zwar in die Nähe des jüdischen Gesetzes- und Traditionsverständnisses paßt, sich aber andererseits kritisch abgrenzt von der jüdisch-pharisäischen Interpretation des Gesetzes.[9]

Aber auch hier müssen methodische Bedenken angemeldet werden. Die Ergebnisse stimmen nur dann, wenn die Voraussetzungen absolut sicher sind. Es muß aber mit der Möglichkeit gerechnet werden, daß die Spannungen zwischen der Kirche und dem pharisäischen Judentum nach 70 nicht ohne Einfluß geblieben sind auf die Deutung des Verhältnisses Jesu zum pharisäischen Judentum seiner Zeit. Das antipharisäische Jesusbild kann also unter Umständen, jedenfalls in einzelnen Zügen, auf die theologische Deutung jener Gemeinde zurückgehen, die Jesus als den zweiten Moses verstanden hat.

Das Kriterium ist also auch in diesem Fall unsicher. Man muß sich wohl vor Augen halten, daß die konsequente Anwendung beider Hälften des Kriteriums, besonders aber die Ausschaltung dessen, was mit dem jüdischen Denken im Einklang steht, die radikale Reduzierung des authentischen Jesusgutes auf einen minimalen Rest bedeutet.

H. Schürmann[10] weist mit Recht darauf hin, daß diesen Ergebnissen ein methodischer Fehler zugrunde liegt, der in den meisten Fällen übersehen wird: »Die historische Forschung muß zwar mit der *Möglichkeit* rechnen, daß Übereinstimmungen mit Judentum

---

[7] *Bultmann*, Verhältnis 8.
[8] Vgl. Mech. Exod. 31,14: »Euch ist der Sabbat übergeben, aber ihr seid nicht dem Sabbat übergeben«.
[9] Vgl. *Lehmann*, Quellenanalyse 180f.
[10] Logientradition 43f Anm. 21.

und Urchristentum sekundäre Einflüsse sind, darf das aber nicht als feststehendes Ergebnis *behaupten*«. Schürmann fordert deshalb eine verfeinerte Methode, die zwischen den Übereinstimmungen weiter zu differenzieren vermag. Es gäbe charakteristische Übereinstimmungen zwischen Jesus und der Urgemeinde, welche das typisch Christliche erkennen ließen. Aber kann man deshalb schon mit Schürmann sagen: es ist vernünftig, »Jesus als Urheber zu postulieren«?

Umgekehrt gäbe es charakteristische Unterschiede in den Gemeinsamkeiten mit dem Judentum, an denen Jesus erkennbar bliebe. Letzteres stimmt ohne Zweifel, aber eben nur dann, wenn man ein Gesamtbild voraussetzt, von dem man ausgehen kann. Wir suchen indes nach einem zuverlässigen Kriterium für den Einzelfall, das unabhängig ist von dem Gesamtbild. Es muß zugegeben werden, daß die Methode für den konkreten Einzelfall wenig Hilfe bietet.

Die Überlegungen haben deutlich werden lassen, daß ein absolut sicheres Urteil in der Frage nach dem echten Jesusgut nicht abgegeben werden kann, weil wir 1. zu wenig wissen über die urchristliche, besonders die judenchristliche Gemeinde, weil 2. die Verwurzelung Jesu im jüdischen Denken schwierige Probleme aufwirft. Im günstigsten Fall kann man daher mit Hilfe dieses Kriteriums zu einem »kritisch gesicherten Minimum«[11] kommen, das uns noch nichts sagt über jene »weißen Felder«, in denen Jesus mit dem Judentum oder mit der judenchristlichen Gemeinde übereinstimmt. Solche und ähnliche Überlegungen machen deutlich, daß es im Grunde keinen sicheren »hermeneutischen Zauberschlüssel« gibt, mit dessen Hilfe es möglich ist, hinter die Überlieferung zurückzugreifen. Es können allenfalls gewisse Grundzüge der Jesusverkündigung gesichert werden, bei denen jedoch immer mit Randunschärfen gerechnet werden muß.

---

[11] *Dahl,* Der historische Jesus 119.

VIII. FUNKTIONALE CHRISTOLOGIE

Im bisherigen Verlauf der Untersuchung klang mehrfach das Stichwort »funktionale Christologie« an. Versteht man sie als Überbietung und Ergänzung jener ontisch-personalen Christologie, wie sie vor allem in den christologischen Hoheitstiteln ihren Ausdruck gefunden hat, dann hat sie eine nicht zu unterschätzende Bedeutung. Das Wesen einer so verstandenen Christologie liegt in dem Beziehungsverhältnis, das zwischen der Person Jesu und den Jesus begegnenden und von ihm geforderten und beschenkten Menschen hergestellt wird. Eine solche Beziehung hat sehr verschiedene und unterschiedliche Ausdrucksformen. Eine Krankenheilung schafft eine Beziehung, eine Mahlgemeinschaft setzt eine Relation. Dasselbe gilt ganz besonders für den Ruf zur Nachfolge, für die Gründung einer Jüngergemeinde. Das alles sind Ausdrucksweisen einer funktionalen Christologie. Vor allem aber muß hier an die Wortverkündigung Jesu gedacht werden, die in mehrfacher Hinsicht als Ursprung der Christologie zu verstehen ist. Wort und Sprache sind Relationen; die Tatsache, daß solche Wort-Relationen weitergesetzt wurden über Ostern hinaus, und der inhaltliche Anspruch zentraler Jesusworte, besonders aber die gemeindegründenden Nachfolgeworte, müssen als hochbedeutsam für die Entstehung der Christologie angesehen werden.

Aber schauen wir zunächst auf zwei für die funktionale Christologie bedeutsame Entwürfe.

W. Marxsen beginnt seine Überlegungen mit einer grundsätzlichen Kritik an den Methoden der neueren Jesusforschung, die gesicherte historische Elemente durch bestimmte sachliche und formale Kriterien glaubt freilegen zu können.[1]

Das Historische — oder das, was man für historisch hält — kann man, so Marxsen, nicht durch Eliminierung erreichen, sondern höchstens durch Interpretation. »Ich kann nicht scheiden zwischen historischen und tendenziösen Stücken. *Alle* sind tendenziös. Das Moment des Historischen ist ein metatendenziöses.«[2]

---

[1] *Marxsen*, Anfangsprobleme.
[2] *Ders.*, aaO. 18.

Marxsen folgert daraus, daß es unmöglich sei, am Christologischen vorbeizufragen zurück zu einem vorchristologischen Bereich, denn der im Vorfeld des Kerygmas gesuchte Jesus begegnet immer als der im Glauben ausgesagte. Alles, was über seine Vollmacht gesagt wird und über sein souveränes Selbstbewußtsein, ist Glaubensaussage. Kurz: er bestreitet grundsätzlich das Recht, zwischen Kerygma und »Bericht von« zu scheiden. Es sei nicht statthaft, das Vergangenheitsinteresse der Urgemeinde in historische Kategorien einfangen zu wollen. Nicht historische Reflexion, sondern Relation ist für Marxsen das Stichwort. »Wenn nun auch Jesus allem Glauben vorausgeht, sagt der Glaubende doch erst Jesus aus, nachdem er in diese Relation hineingenommen ist ... Das Urdatum der Kirche ist also nicht eine Person, sondern eine von dieser Person ausgehende Relation. So gehören Jesus und der Glaube zusammen. Genauer muß man wohl sagen: Jesus und der Glaubende gehören zusammen.«[3]

Marxsen glaubt auf diese Weise die Alternative »Kontinuität« — »Diskontinuität« ausgeschaltet zu haben, da die Voraussetzung dafür, nämlich das Nacheinander von historischem Jesus und Zeugen nach Ostern nicht mehr vorhanden ist. Für uns ist ja die Relation »Jesus-Glaubender« nur an dem einen Pol greifbar, nämlich dort, wo Menschen diese Relation aussagen und damit Jesus interpretieren im Bekenntnis. »Man könnte es dann so ausdrücken: durch diese Interpretation *erobert* die am Glauben interessierte Aussage den historischen Jesus. Das Bild Jesu, das nun entsteht, *kann nicht* mehr ein rein historisches sein, *meint* aber natürlich den historischen Jesus. Dieses Ineinander machte den Menschen damals keine Schwierigkeiten, weil sie *glaubend* berichteten, aber nicht objektiv darstellten, und weil sie die historische Frage nicht kannten.«[4] Das Fazit lautet: »Der Anfang der Christologie läßt sich nicht so bestimmen, daß man sich entweder für die Urgemeinde oder für den historischen Jesus entscheidet, sondern er liegt da, wo erstmalig die Relation Jesus / Glaubender sichtbar wird«.[5]

---

[3] Ders., aaO. 19.
[4] Ders., aaO. 19.
[5] Ders., aaO. 20.

Daraus ergibt sich die Frage, welche Rolle für die Anfänge der Christologie Ostern noch hat. Die Formgeschichte war ja davon ausgegangen, daß Ostern der entscheidende Ursprung der Christologie ist. Die Gemeinden, die ihren Jesusglauben bekannten, wurden nicht von historischen, sondern von kerygmatischen Interessen geleitet. Am Anfang steht also der Osterglaube der Gemeinde.

Dieses Axiom wird nun von Marxsen nicht so undifferenziert übernommen, wie es bislang üblich war. Er geht davon aus, daß die frühen Gemeinden interessiert waren an einer unmittelbaren Begegnung mit Jesus, und die verschiedenen christologischen Aussagen und Bekenntnisse in Titeln und Formeln seien im Grunde der Ausdruck für den Versuch, solche Begegnungen eschatologisch zu qualifizieren. Es ist, so sagt Marxsen, bemerkenswert, daß ein erkennbarer Einfluß, den Ostern auf die Tradition ausgeübt hat, kaum feststellbar ist.

Das aber wirft die Frage auf, wie der Glaube denn ausgesehen hat, der die Traditionsbildung beeinflußt hat. Marxsen antwortet: »Es war nicht ... der Glaube an Jesus, sondern es war der durch Jesus erweckte Glaube. Menschen, die durch Jesus zum Glauben gekommen und das heißt, die in die eschatologische Relation hineingestellt worden waren, verkündigen, welchen Anteil Jesus in seinem Wort und in seiner Tat daran hatte. Das konnte durchaus vor Ostern geschehen«.[6]

Wir können feststellen: Der Glaube als Relation des Glaubenden zu Jesus ist also grundsätzlich nach dieser Deutung unabhängig von Ostern. Ostern bietet allenfalls die Voraussetzung dafür, daß dieser Glaube trotz des Kreuzestodes weiterging. »Die Tatsache, das *Daß* dieser Verkündigung geht auf Ostern zurück, die *Gestaltung* aber auf den durch Jesus erweckten Glauben, der allerdings wegen Ostern am Kreuz nicht zerbrach.«[7]

Wenn man die Frage nun zuspitzt auf den viel zitierten Bruch zwischen dem historischen Jesus und dem Christus des Glaubens, dann wird man nach dem zuvor Gesagten die Bedeutung von Ostern etwas anders einstufen müssen. Von einem österlichen

---

[6] *Ders.*, aaO. 50.
[7] *Ders.*, aaO. 51.

Bruch kann jedenfalls nicht mehr die Rede sein. Der Bruch »hängt vielmehr mit dem Glauben zusammen, den man nun aber wieder nicht einfach mit dem Osterglauben identifizieren darf. Der Bruch liegt da, wo ein Glaubender Jesu Wort und Tat verkündigt. Das gleiche geschah aber schon vor Ostern«.[8]

Man kann also sagen: Der Bruch liegt nicht in einem chronologisch fixierbaren österlichen Datum, sondern in der Tatsache jener Verkündigung (vor Ostern und nach Ostern), die aus Glauben erwächst. Der Graben zwischen dem historischen Jesus und dem Christus des Glaubens erhält sozusagen eine andere Qualität. Er ist kein objektivierbares Ereignis, sondern eine methodische Hilfskonstruktion. »Er markiert die Grenze der Möglichkeit *historischen* Fragens. Die letzterreichbare Größe bleibt die Aussage eines Glaubenden, nicht aber eines historischen Beobachters.«[9]

Wir können nach diesem Überblick zu den Ausführungen von W. Marxsen folgende Feststellungen machen:

1. Der »Schritt nach rückwärts«, um den wir uns bemühen, ist Marxsen gelungen. Ostern ist nicht mehr die unüberwindbare Barriere, sondern lediglich die Voraussetzung dafür, daß man später trotz des Kreuzestodes weiterhin noch Jesus verkündigte.[10] Auf Ostern geht lediglich das »Daß«, die Tatsache des Glaubens zurück, das »Was« des Glaubens, sein Aussehen und seine Gestaltung, ist bereits durch Jesus bewirkt.

Es muß freilich sofort hinzugefügt werden, daß der Preis für diesen »Schritt nach rückwärts« sehr hoch ist. Das, was diesen Schritt erst zum Problem werden ließ, nämlich das mit Ostern einsetzende und nur von Ostern her verstehbare Neue, ist schlicht und einfach nivelliert worden. Ostern, nämlich als Beginn des Osterglaubens im Sinne von Marxsen, liegt schon vor Ostern, soweit man überhaupt noch von einem zeitlichen »vor« und »nach« sprechen kann. Genauer gesagt: Hier wird eine Christologie ohne Ostern entwickelt, denn Ostern wird als Ereignis relativiert. Ostern ist ledig-

---

[8] *Ders.*, aaO. 51.
[9] *Ders.*, aaO. 52.
[10] *Ders.*, aaO. 51.

lich Interpretament dafür, daß immer wieder neue Relationen gesetzt werden. Von einem geschichtlichen Eingreifen Gottes eben in der Auferweckung Jesu Christi ist nicht mehr sehr viel übrig geblieben.

2. Marxsen wollte mit diesem »Schritt nach rückwärts« keineswegs die Christologie historisch verankern. Ihm geht es gewissermaßen um eine neue Grenzziehung. Er möchte aufzeigen, wo die Grenzen des historischen Fragens liegen. Sie liegen in der Tatsache, daß es keinerlei Geschichtsmaterial gibt, welches uns historisch-neutral informiert. Wir stoßen vielmehr immer und in jedem Fall auf Zeugnisse von Glaubenden. Was für uns erreichbar ist, das ist die Relation: Jesus — Glaubender. Marxsen sagt selbst, daß nur der eine Pol dieser Relation für uns greifbar ist, der andere ist nicht mehr erreichbar.

Hier muß nun freilich gefragt werden, ob das nicht im Grunde nur eine neue Umschreibung des Bultmann'schen »Daß« ist. Denn wenn ich nur den einen Pol der Relation erreichen kann und der andere Pol (der historische Jesus) immer nur »kerygmatisiert« faßbar ist, dann ist die historische Frage im Grunde auch hier negativ beantwortet. Ja, man wird sogar fragen dürfen, ob es nicht folgerichtig wäre, auf den Begriff »Relation« zu verzichten. Denn eine Relation, deren zweiter Pol völlig im Dunkeln liegt und nur als Postulat angenommen wird, ist nicht sehr viel mehr als eine Fiktion.

3. Marxsen geht bei seinen Überlegungen von der Prämisse aus, in den Evangelien könne man zwischen historischen und tendenziösen Stücken in keinerlei Weise unterscheiden. Dieser Behauptung stehen die Erkenntnisse der modernen Jesusforschung entgegen. Die bereits erwähnte Untersuchung von J. Roloff kommt zu einem Ergebnis, welches das wichtigste Postulat der Kerygmatheologie durchaus in Frage stellt. Roloff zeigt auf, daß im Verlauf der frühesten Traditionsbildung historische Motive eine weitaus größere Rolle gespielt haben, als man gemeinhin annimmt. Von daher verbietet es sich, von einer späteren Historisierung zu sprechen, welche ausschließlich auf das Konto der Evangelienredaktion, besonders des Lukas, geht. Historische Elemente hat es von Anfang an gegeben. Wenn es auch nicht möglich ist, die histo-

rische Situation im Detail exakt zu rekonstruieren, so kann man doch in groben Umrissen ein zuverlässiges Jesusbild nachzeichnen.

Wir stehen nach diesen Überlegungen zu dem Entwurf von W. Marxsen also wieder vor der Ausgangsfrage, ob und auf welche Weise es möglich ist, die Anfänge der Christologie vorösterlich zu verankern und historisch abzusichern. Trotz der notwendigen Kritik an W. Marxsen sollte man das Stichwort »funktionale Christologie« nicht voreilig abtun. Der Gedanke der Relation verdient m. E. größere Beachtung. Denn in der Tat ist ja die Christologie immer eine Relation, und zwar in einem zweifachen Sinn. Für den einen Teil, für den von Christus angesprochenen Menschen, ist sie Relation des Glaubens; für den anderen Teil, für Christus, ist sie Selbstmitteilung, und zwar vorrangig in der Form des Wortes als Medium der Selbstmitteilung.

Es ist nun die Frage, ob das gesuchte Kontinuum zwischen der vorösterlichen und nachösterlichen Christologie nur auf der Seite des Glaubenden zu finden ist, wie Marxsen meint, oder ob es nicht vielmehr eine Kontinuität gibt in der Selbstmitteilung Jesu, der sich so, das heißt im Wort, als Christus ausweist. Es geht hier nicht einfach nur um die Frage der »ipsissima vox Jesu«, sondern um den besonderen Anspruch des Jesuswortes. Kann man das »Christuswort« im »Jesuswort« nachweisen? Für gewöhnlich beruft man sich dabei auf das Erinnerungsvermögen der Jünger auch noch nach Ostern. Dagegen ist grundsätzlich nichts einzuwenden, aber man darf auch nicht übersehen, daß zu der Erinnerung das österliche Erleben als zweites, ganz sicher auch transformierendes Erfahrungsmoment hinzugekommen ist. Es muß also immer damit gerechnet werden, daß die christologisch bedeutsamen Worte umgeformt worden sind.[11] Trotzdem ist der Weg nach rückwärts nicht

---

[11] Die Auffassung von *Hasler*, Amen 184, daß ein Überlieferungsvorgang von Worten Jesu und der damit verbundene Begriff des Herrenwortes erst im Leben der nachösterlichen Gemeinde greifbar sei, vermag ich nicht zu teilen. Die These von Hasler, es habe in der frühen Gemeinde wegen des apokalyptisch-eschatologischen Enthusiasmus keinerlei Verständnis für Tradition und historische Reflexion gegeben, die Rolle der Jesusjünger hätte ausschließlich im Zeugnis für den Aufer-

völlig versperrt. H. Schürmann[12] hat die Frage gestellt, ob es nicht möglich ist, mit den Mitteln der *Formgeschichte* einen Zugang zum vorösterlichen Raum und damit zu Jesus selbst zu finden. Es sei nicht einzusehen, daß die formgeschichtliche Methode in einer Art »Verblendung« und »Kurzsichtigkeit« sich auf den nachösterlichen Bereich beschränke.[13] Es müsse vielmehr ernsthaft der Versuch unternommen werden, bestimmte anspruchsvolle Worte auf einen vorösterlichen »Sitz im Leben« zurückzuführen.

Schon die Tatsache eines nachösterlichen Christusglaubens, die Entwicklung und Ausfaltung der verschiedenen christologischen Bekenntnisse in Anlehnung an das im Leben des historischen Jesus Vorgegebene, die Bildung einer Glaubensgemeinde und ihre Rückbesinnung auf vorösterliche Geschehnisse, schließlich auch die Missionstätigkeit unter Berufung auf den Willen Jesu, das alles ist schlecht vorstellbar ohne ein »messianisches Vorwissen«.[14] W. Grundmann[15] sagt darum mit Recht, eine sich auf Jesus und sein Handeln berufende nachösterliche Heilsverkündigung könnte

---

standenen bestanden, weder die messiasgläubigen Judenchristen, noch die geistbewegten hellenistischen Gemeinden hätten sich an Worte des Irdischen geklammert, es hätte ferner im Selbstverständnis der Jesusjünger keinerlei Analogie zu den Lehr- und Lernpraktiken der Rabbinen gegeben — ist m. E. zu einseitig. Eine detaillierte Untersuchung des synoptischen Traditionsgutes dürfte jedenfalls zu dem Ergebnis kommen, daß die historischen Motive von Anfang an eine viel größere Rolle gespielt haben, als die kerygmaorientierte Untersuchung von Hasler vorgibt. Es sei hier noch einmal an die wichtige Arbeit von *Roloff* über das Verhältnis von Kerygma und der historischen Jesustradition erinnert. Man hat manchmal den Eindruck, daß der frühchristliche Enthusiasmus allzusehr strapaziert wird, wenn man ihm allein eine so folgenreiche und umwälzende Bedeutung zuspricht. Die von der christlichen Gemeinde im Glauben erkannte »Erfüllung« weist in jedem Fall zurück auf eine behauptete Verheißung, die von Jesus ausgeht. Das Moment der Erinnerung ist also im Bewußtsein der Gemeinde nach Ostern durchaus noch vorhanden.

[12] *Schürmann*, Logientradition 39-80.

[13] *Ders.*, aaO 46.

[14] *Ders.*, aaO. 49.

[15] Besprechung von *J. Schneider*, Die Frage nach dem historischen Jesus in der neutestamentlichen Forschung der Gegenwart, Berlin 1958: ThLZ 84 (1959) 103-105.

kaum verständlich gemacht werden, wenn es nicht bereits vor Ostern ein Wissen und Bekennen gegeben hätte.

Solche Argumente haben ihr sachliches Gewicht, aber sie sind methodisch zu wenig gesichert. Wenn es sich nachweisen ließe, daß es ein echtes »Traditionskontinuum« gibt, das bis an den historischen Jesus heranreicht, wäre das natürlich ein nicht zu unterschätzender Gewinn.

Ausgangspunkt für diese Überlegungen ist das »soziologische Kontinuum«, das unbestritten ist. Es gibt eine Gemeinde nach Ostern, die genauso wie der vorösterliche Jüngerkreis Jesu ein auffälliges Interesse an den Worten Jesu hatte. Ohne den Anspruch Jesu, der sich vor allem in Worten anmeldete aber auch in bestimmten typischen Verhaltensweisen erkennbar gewesen sein muß, wäre es nicht zur Nachfolge und zur Sammlung einer Gruppe von Nachfolgenden gekommen. Die Tatsache, daß Worte Jesu schon in der vorösterlichen Zeit Gemeinde zu gründen vermochten und die Identität dieser Gemeinde vor und nach Ostern in ihren wichtigsten Vertretern ist sozusagen das Geländer, an dem sich die Forschung behutsam zurücktasten kann.[16] Das »soziologische Kontinuum« impliziert also gleichzeitig auch eine Kontinuität des Bekennens, die trotz der durch das österliche Geschehen bedingten Diskontinuität grundsätzlich erkennbar ist. Es sei hier auch auf das von H. Schürmann[17] gegen R. Bultmann vorgebrachte Argument hingewiesen, daß Tod und Auferstehung Jesu zum mindesten potentiell auf die Inkarnation zurückweisen: »Es kann daher schon eine christologische Selbstverkündigung und Verkündigung geben, wenn das eschatologische ›Gekommensein‹ Jesu verstanden ist. Die entscheidende Frage dürfte also sein, wie sich das vorösterliche Kerygma, das dieses ›Gekommensein‹ expliziert, zu dem Oster-Kerygma verhält. Wer das ›Gekommensein‹ Jesu eschatologisch radikal denkt, dem kann die Verkündigung Jesu nicht mehr nur ›Voraussetzung‹ des Kerygmas (und der Neutestamentlichen Theologie) sein; vielmehr liegt hier der *verhei-ßungsvolle* ›Anfang‹ der christlichen Verkündigung, ohne den sie

---

[16] *Schürmann*, aaO. 47.
[17] *Ders.*, aaO. 48f.

nicht zu ihrer *erfüllten* ›Vollgestalt‹ gekommen wäre. Es soll keineswegs geleugnet werden, daß eine starke Diskontinuität zwischen dem vor- und nachösterlichen Bekenntnis und darum auch zwischen der vor- und nachösterlichen Verkündigung angenommen werden muß. ... Aber ist diese Diskontinuität nicht trotz allem eine solche in der Kontinuität? Ein Traditionskontinuum kann freilich der nicht annehmen, der ein irgendwie geartetes Jüngerbekenntnis zu Jesus vor Ostern für unmöglich hält«.

Das besondere Interesse an Jesusworten vor Ostern hat zwar noch keinen ausgesprochenen Bekenntnischarakter, aber das streng auf die Person Jesu bezogene Sammlungs- und Auswahlprinzip, die eschatologische Qualifizierung als »Gottes letztes Wort vor dem Ende«[18] und das Bemühen um eine unveränderte Weitergabe zeugen doch noch von einer hohen Verehrung. Das »Bekenntniskontinuum« setzt demnach ein »Traditionskontinuum« voraus.[19] Auf eine Sammlung und Weitergabe von Worten Jesu bereits vor Ostern meint H. Riesenfeld[20] aufgrund der Existenz der Logienquelle nach Ostern und der auffälligen Darstellung der Verkündigung Jesu nach den Modellen der jüdischen Rabbinenschulen schließen zu können.

Man wird sicher auf das Problem »Jesus, der Lehrer« besonders zu achten haben; aber dieser Leitfaden reicht nicht aus.[21] Interessanter sind die für Jesus typischen Situationen und Verhal-

---

18 *Bultmann*, Theologie 8.
19 Vgl. *Wilckens*, Jesusüberlieferung 324f: »Es ist sicherlich ganz falsch, für die vorösterliche Zeit mit keinerlei *Tradition*, sondern lediglich mit ›lebendiger Erinnerung‹ der Jünger zu rechnen oder ähnlichem zu rechnen. Nein, die bloße Tatsache der breiten nachösterlichen Tradition in ihrem *Form*charakter als *vorösterliche Jesus*-Überlieferung setzt die Tatsache vorösterlicher *Tradition* voraus ... Der *nachösterliche* ›Sitz im Leben‹ der Logienüberlieferung ist durch eine darin festgehaltene Kontinuität mit dem ›Sitz im Leben‹ vorösterlicher Jesustradition bestimmt. Von daher sind die Formmerkmale dieser Überlieferung zu verstehen. Das wichtigste: In der Überlieferung der *nach*österlichen Traditionsträger spricht weiterhin der *vor*österliche Jesus. Das gilt, wie immer gerade auch christologische Aspekte spezifisch nachösterlichen Charakters das Überlieferte verändert haben!«
20 The Gospel Tradition and its Beginnings, in: Studia Evangelica (TU 73), Berlin 1959, 43-65.

tensweisen, die nach der Ansicht von H. Schürmann einen Anhalt geben für die Lokalisierung bestimmter Jesusworte. Wenn es gelingt, diesen vorösterlichen »Sitz im Leben« für einige Jesusworte ausfindig zu machen, dann wäre es grundsätzlich auch möglich, Elemente einer etwaigen vorösterlichen Christologie in den Griff zu bekommen. Ein entscheidend wichtiger Ausgangspunkt ist die Existenz eines Jüngerkreises und die Tatsache der Jesusnachfolge. Es handelt sich hier um ein Phänomen, das sowohl in der Erzählungstradition, als auch in der Logiensammlung überliefert ist und in seiner Faktizität kaum angezweifelt werden kann. In diesen gesicherten Rahmen gehören ganz bestimmte Jesusworte, die in einem anderen Zusammenhang unverständlich wären. Neben diesen auf den ersten Blick erkennbaren »Nachfolgeworten« wird man aber auch solche berücksichtigen müssen, die im Verlaufe der Tradition an spätere Gemeindeverhältnisse angepaßt worden sind und wegen ihres Störungseffektes in einem für sie nicht geschaffenen Rahmen mehr oder weniger deutlich auf den anfänglichen vorösterlichen Ursprung zurückweisen. Aber Jüngerschaft und Nachfolge müssen an sich noch nicht christologisch bedeutsam sein. Johannes der Täufer, die Rabbinen und auch die griechischen Philosophen hatten schließlich auch ihren Schülerkreis. Das für Jesus Typische und entscheidend Neue sind die besonderen Umstände, die zur Bildung des Jüngerkreises geführt haben und die Bedingungen der Nachfolge wie auch die absolut einzigartigen Zielsetzungen. Solche charakteristischen Kennzeichen sind an der Tradition abzulesen und die Einzelelemente ergeben in ihrer Gesamtheit ein einigermaßen zuverlässiges Bild des vorösterlichen Jesusbekenntnisses.

Neben dem Komplex »Jüngerschaft — Nachfolge« verdienen typische Kennzeichen der ethischen Verkündigung Jesu besondere Beachtung. Man kann ganz allgemein von einem skandalösen Rigorismus sprechen, der die Grenzen des normalen sittlichen Empfindens und der heiligen Satzungen der jüdischen Religion in bewußter Absicht überschreitet. Solche außergewöhnlichen Merkmale finden sich nicht etwa nur hier und da, sie sind in allen

---

[21] Vgl. *Schürmann*, aaO. 47.

Schichten der Tradition nachzuweisen. Diese charakteristische Eigenart ist im Verhalten Jesu begründet.

Die Identität des Jesusbekenntnisses vor und nach Ostern geht also auf Relationen zurück, und zwar in einem doppelten Sinn. Die im Bekenntnis begründete und das Bekenntnis tragende Tradition ist eine Relation. Sie ist nicht einfachhin nur »Träger des Wortes«, sondern auch die Brücke, welche Getrenntes verbindet. Aber auch das Objekt der Tradition, das Wort Jesu, hat alle Merkmale der Relation an sich. Es schafft die Beziehung zwischen Jesus und dem Hörenden und wandelt diesen um zum Glaubenden. Der Ursprung dieser Relation liegt nicht im Glauben von Menschen, die aus irgendwelchen für uns heute nicht mehr einsichtigen Gründen sich Jesus angeschlossen haben, er liegt in Worten, die dem Glauben vorausgehen.[22] Als Worte Jesu sind sie Objektivationen seiner Gedanken und Konkretisierungen seines Selbstverständnisses. Wenn es möglich sein sollte, dieses »feste Ende« der Relation »Jesus-Glaubender« in den Griff zu bekommen, dann wäre eine neue Basis für das Bekenntnis gewonnen.

---

[22] Das ist der entscheidende Unterschied zu dem Ansatz von W. Marxsen, für den nur das eine Ende der Relation, der Glaubende, zu erreichen ist.

C) Vorösterliche Elemente der Christologie

I. JÜNGERSCHAFT UND NACHFOLGE

Die Vermutung, daß der Komplex »Jüngerschaft — Nachfolge« einen Zugang zum Verständnis der Person Jesu eröffnet, ist nicht neu. E. Schweizer hat in seiner Studie »Erniedrigung und Erhöhung bei Jesus und seinen Nachfolgern« die Frage gestellt, ob nicht Jesus Christus in der Urchristenheit als Vorgänger verstanden wurde, der »voranging« und die Berufenen auf seinen eigenen Weg festlegte.[1] Die nachösterliche Christologie hat dieses Phänomen mehrfach variiert: aus dem »Vorgänger« ist das »Vorbild« geworden, aus der »Nachfolge« die »Nachahmung« und aus dem »Jünger« das »Gemeindeglied«, der »Christ«. An die Stelle des irdischen Jesus ist der erhöhte Christus getreten. Wenn trotzdem die »typische Situation« der vorösterlichen Nachfolge auch unter den veränderten Verhältnissen noch greifbar ist, dann darf man das als Hinweis auf ihre christologische Bedeutsamkeit verstehen. Die Gemeinde nach Ostern wußte noch sehr genau, wo die ersten Anfänge ihres Christusglaubens zu suchen sind. Das gegenwärtige Bekenntnis zum Kyrios Christus ist grundgelegt in dem Ruf des »Vorgängers« Jesus. Aber nicht erst im Licht des Auferstehungsglaubens hat man den einzigartigen Charakter der Jesusnachfolge erkennen können, sondern die Sache an sich war von der Art, daß sie von allem Anfang über sich hinauswies und zu der Frage drängte: »Wer ist dieser?«

Die Jüngerschaft Jesu läßt sich nicht einordnen in irgendein soziologisches Modell. Das zeitgenössische Judentum bietet zwar im

---

[1] *Schweizer*, Erniedrigung und Erhöhung 159f: »Jesus hat Jünger in die Nachfolge gerufen. Die Zusammengehörigkeit des Jüngerweges mit dem Jesu war zunächst ganz realistisch gedacht. Sie vollzog sich auf den Wegen Palästinas. Es war ein wirklicher Weg, der jeden Tag und jede Nacht wieder neue Fragen und Antworten, Nöte und Freuden mit sich brachte. Es war ein *Miteinander*, weil die Jünger teilhatten an jeder Wendung dieses Weges Jesu. Und das Ziel, auf das sie hingingen, war das Teilhaben am *Gottesreich*, die Erlösung aus der alten Welt, das Eingehen in die neue. *Bei alldem war nie vergessen, daß ihr Weg und Jesu Weg qualitativ verschieden waren«.*

Lehrinstitut des jüdischen Rabbinates, im Jüngerkreis des Täufers Johannes, in der eschatologischen Gemeinde von Qumran, die sich am Lehrer der Gerechtigkeit orientiert, gewisse Parallelen[2]; unter Umständen ist es auch möglich, auf hellenistische Mysterien zu verweisen. Aber alle diese Vergleiche halten in den entscheidenden Punkten nicht stand. Sie können zwar auf gewisse phänomenologische Verwandtschaften aufmerksam machen; aber die Sache als solche kann letzten Endes nur von der Person Jesu her erklärt werden. Denn die Jüngerschaft Jesu ist gekennzeichnet durch eine absolute und unüberbietbare Einmaligkeit, die sich aus dem Anspruch seiner Person ergibt. Nachfolge ist mehr als ein Analogon zum rabbinischen »hālāḵ ʾaḥarê« im Sinne einer Lebensgemeinschaft von Lehrer und Schüler im Dienste am Gesetz. Sie unterscheidet sich trotz mancher formaler Übereinstimmungen ganz wesentlich von jenen Bewegungen, die durch das Auftreten von apokalyptischen Propheten zur Zeit Jesu ins Leben gerufen wurden. Die interessante Untersuchung von M. Hengel[3] deutet auf das eschatologisch-charismatische Element im Auftreten Jesu hin und möchte von dort aus die Gemeinschaft mit Jesus auf einmalige Weise bestimmt sehen. »Weder die irreführende Bezeichnung ›Rabbi‹, noch die ebenfalls mißverständliche Bezeichnung ›eschatologischer Prophet‹, können seine Wirksamkeit zureichend charakterisieren. Das ›Charisma‹ Jesu durchbricht die Möglichkeiten einer religionsphänomenologischen Einordnung. Gerade die einzigartige Weise, in der Jesus einzelne zum ›Nachfolgen‹ berief, ist Ausdruck dieser unableitbaren ›messianischen‹ Vollmacht.«[4] Wir werden im folgenden am Beispiel einiger typischer Nachfolgetexte auf diese unableitbaren Eigenarten aufmerksam machen. Es wird sich zeigen, daß Nachfolge von Jesus und seinen Jüngern verstanden worden ist als Teilnahme am Leben und Schicksal Jesu. Der Jünger wählt nicht den Lehrer nach freiem Ermessen aus, sondern er folgt gehorsam dem Ruf, der an ihn ergangen ist. Dieser Ruf braucht sich nicht auszuweisen und der Rufende läßt sich auf keine Dis-

---

[2] Vgl. *Schulz*, Nachfolgen; *Hengel*, Nachfolge 38f; *Blinzler*, Jüngerschaft, in: Welt und Umwelt 9-19.

[3] aaO. 41f.

[4] *Hengel*, aaO. 97f.

kussion ein, denn er hat Autorität, er stellt den Angesprochenen in die Entscheidung. Dabei geht es um das Letzte. So betrachtet bedeutet die Berufung für den Jünger Krisis. Aber lassen wir die Texte selbst sprechen.

1. Jüngerberufung am See
(Mk 1,16-20 = Mt 4,18-22 = Lk 5,1-11)

Die Perikope berichtet von zwei Doppelberufungen. Bei Markus ist die »Sprödigkeit des Rahmens der Geschichte Jesu«[5] noch voll erhalten. Alles Überflüssige ist ausgelassen, es fehlen chronologische und topographische Detailangaben. Das läßt vermuten, daß die Szene in der jetzt vorliegenden Form traditionsgeschichtlich zu einer doppelköpfigen Berufungs- und Nachfolgegeschichte zusammengewachsen ist. Vielleicht haben die Namen Simon und Andreas, um die es in den Versen 16-18 geht, Assoziationen an das andere Brüderpaar Johannes und Jakobus hervorgerufen, deren Berufung in den Versen 19-20 (Mt 4,21-22) angefügt ist.
Die Formgeschichtler sprechen von einem Apophthegma (Bultmann) oder von einer Berufungslegende (Dibelius). Entscheidend ist das Stichwort »Berufung« (Mk 1,18: »Auf, hinter mich«; 1,20: »und sofort rief er sie«), welches den in der Perikope enthaltenen historischen Kern darstellt. Auch in der zweiten Geschichte, in deren Mittelpunkt die Brüder Johannes und Jakobus stehen, geht es um Berufung. Der Ton liegt jedoch stärker auf der Antwort der Berufenen. Hier zeigt sich wieder eine für den Jüngerkreis Jesu typische Verhaltensweise, die ein Wesensmerkmal der Jesusnachfolge wiedergibt: »und sie verließen ihren Vater Zebedäus in dem Boot mit den Tagelöhnern und gingen weg, ihm nach«. Lukas erzählt die Berufungsgeschichte wesentlich anders und an anderer Stelle im Markusrahmen. Es geht in der Perikope Lk 5,1-11 um eine Wundergeschichte, in deren Mittelpunkt Simon steht. Unter Umständen stammt die Erwähnung der Zebedäussöhne (5,10) aus der Redaktion, welche die Wundergeschichte an die Markusparallele angleichen wollte. Das Thema »Berufung — Nachfolge«

---

[5] *Schmidt*, Rahmen 43 Anm. 2.

wird auf diese Weise zwar locker angehängt, aber die Betonung liegt nach wie vor auf dem wunderbaren Geschehen.

Gegenüber der noch zu besprechenden »einfachen« Berufungsszene Mk 2,14 parr fällt hier (Mk 1,17 = Mt 4,19) die Übertragung eines neuen Berufs auf. An das stereotype »auf, mir nach« ist die Verheißung angefügt: »ich will euch zu Menschenfischern machen«. Von daher wird die knappe Andeutung auf ihre augenblickliche Beschäftigung und auf den Beruf (Mk 1,16) verständlich. Die Nachfolge wird hier gedeutet als Indienstnahme. Sie fordert den ganzen Einsatz des Menschen, der nun einen besonderen Auftrag erhalten hat.

Bevor wir auf die christologische Bedeutung dieser Berufungen eingehen, muß ein zweiter Text kurz besprochen werden.

2. Berufung des Levi (Mk 2,14 = Mt 9,9 = Lk 5,27f)

Die Geschichte ist in ihrer sprachlichen Formulierung typisiert. Der Prozeß der mündlichen Tradierung brachte es mit sich, daß derartige Überlieferungsstücke durch sorgfältige Ausformung vor dem »Zersagen« geschützt wurden. Dem knappen Befehl: »Folge mir« entspricht die Reaktion: »und er stand auf und folgte ihm«. Die Szene ist sicher zunächst isoliert berichtet worden. Sie hatte keine Verbindung nach rückwärts. Vielleicht gehört sie in eine spätere Phase der Wirksamkeit Jesu. Eine chronologische Fixierung ist jedoch kaum möglich.

Der jetzige Zusammenhang mit dem nachfolgenden Zöllnermahl ist unter dem Stichwort »Zöllner« hergestellt worden. Die Absurdität der Berufung und der Jesusnachfolge erhält durch die Verknüpfung mit der für Jesus typischen Sünderliebe eine provokative Zuspitzung. E. Schweizer[6] macht zu Recht darauf aufmerksam, daß der Berufene als Zöllner außerhalb der Kultgemeinschaft des Gottesvolkes steht. »Liegt schon in der Tatsache, daß Jesus überhaupt in die Nachfolge ruft und zwar so, daß Menschen dabei Schiff und Zolltisch und Familie verlassen, ein ganz erstaunliches Wissen um seine Sendung, so noch vielmehr in der

---

[6] aaO. 9.

Durchbrechung aller bisherigen Schranken. In solchem Rufen ereignet sich Gnade.«[7] Dieser Grundzug wird durch den angefügten Bericht vom Zöllnermahl noch unterstrichen.

Bei den bislang besprochenen Berufungen fällt eine eigentümliche Notiz auf, die, weil sie offenbar unbeabsichtigt in die Erzählung eingeflossen ist, aus der vorösterlichen Erinnerung stammen kann. Jesus beruft »im Vorübergehen«. Die stereotype Formulierung läßt vermuten, daß es sich hier nicht nur um eine historische Reminiszenz, sondern um die Betonung eines Wesensmerkmals aller Jesusberufungen handelt. F. Hahn[8] sieht in dieser Notiz eine »eigentümliche Voraussetzungslosigkeit« und eine »ganz überraschende Unmittelbarkeit« angedeutet. Jesus verhandelt nicht und gestattet keine Rückfrage, er fordert vielmehr den Menschen ganz, er schaut nicht auf sein Vorleben, auf Stellung und Ansehen vor den Menschen. Das alles ist für ihn völlig unbedeutend, denn mit seiner Berufung beginnt das ganz Neue, für das alles Vorausgehende völlig bedeutungslos ist. Darum verlassen sie ihren bisherigen Beruf und geben alle Bindungen auf. Die Lebensgemeinschaft mit Jesus, in die sie nun hineingenommen werden, relativiert die bisherigen Ordnungen.

Eine solche Neuorientierung des ganzen Lebens wird sinnvoll von der Person des Berufenden her. Jesus ist für diese Leute nicht irgendwer, sondern sie anerkennen ihn, er ist für sie Autorität. Von seiner Person her wird eine so ungewöhnliche Forderung und der bedingungslose Gehorsam sinnvoll.

Die Nachfolge begründet nicht nur ein besonders enges persönliches Verhältnis zu Jesus, sie ist auch Dienst an einer bestimmten Sache. Das Eine ergibt sich sozusagen aus dem Anderen. Jesus beruft Jünger, »damit sie mit ihm sind« (Mk 3,14) und er sendet sie, damit sie in seinem Auftrag handeln (Mk 1,17 = Mt 4,19). Bei ihrer Tätigkeit als Menschenfischer verstehen sie sich immer als die Gesandten Jesu, und in der vertrauten Gemeinschaft mit ihm vergessen sie keinesfalls ihre Aufgabe. Es gibt keinen einseitigen Dienst an der Sache unter Absehung von der Person Jesu,

---

[7] *Schweizer,* aaO. 10.
[8] *Nachfolge* 9.

und es gibt auch keine einseitige Jesusgemeinschaft, welche sich
für den Auftrag an der Welt verschließt. Beides gehört zusammen
und kann nicht voneinander gelöst werden. Für die christologische
Frage ist dieser Gesichtspunkt von großer Bedeutung.

Man kann hier natürlich die Frage stellen, ob die Berichte nicht
nachträglich theologisch stilisiert worden sind. Wir haben schon
festgestellt, daß die sprachliche Formulierung bestimmte, durch
den Traditionsprozeß bedingte Typisierungen erkennen läßt. Aber
die Konzentrierung auf die Hauptmotive hatte wohl auch zur
Folge, daß diese sehr prägnant und unmißverständlich herausge-
arbeitet worden sind. »Die konkrete Einmaligkeit ist so unver-
kennbar, daß in jedem Falle mit Begebenheiten der vorösterlichen
Zeit gerechnet werden muß. Grenzen der geschichtlichen Erkenntnis sind uns zwar gesetzt und können nicht einfach übersprungen
werden ... Aber wir müssen unter allen Umständen davon ausgehen, daß die Texte einerseits die Wirkung des Rufes Jesu einfach voraussetzen und daß sie andererseits fest damit rechnen, daß
dieser Ruf in seiner Unmittelbarkeit auch aufgenommen werden
konnte.«[9]

3. BEDINGUNGSLOSE NACHFOLGE
(Lk 9,57-62 = Mt 8,19-22)

Die Logienquelle überliefert drei Nachfolgesprüche, welche den
unerbittlichen Ernst der Jüngerschaft deutlich machen. Lukas und
Matthäus stimmen in den beiden ersten Logien (Lk 9,58-60 =
Mt 8,20-22) überein, das dritte Wort (Lk 9,61.62) gehört zum
Sondergut des Lukas. Wenngleich die Szene als ganze redaktio-
nell ist, dürfte es sich doch bei allen drei Sprüchen um echte
Jesusworte handeln, die in der Tradition zunächst ohne Rahmung
existierten.

Das erste Wort: »Die Füchse haben Höhlen und die Vögel des
Himmels haben Nester, der Menschensohn aber hat nichts, wo er
sein Haupt hinlegt« (Lk 9,58) ist Antwort auf die Anfrage eines
unbekannten Mannes (bei Matthäus ist er ein Schriftgelehrter),

---

[9] *Hahn*, aaO. 12f.

der zur Jesusnachfolge bereit ist. Die Antwort will die Härte der Nachfolge verdeutlichen. Jesus tut das, indem er auf die Heimatlosigkeit des Menschensohnes hinweist. Ob das Logion an bekannte Sprichwörter anknüpft, welche eine allgemein-menschliche Situation kennzeichnen wollen, darf wohl bezweifelt werden.[10] Sowohl für Lukas/Matthäus als auch für die Logienquelle muß vielmehr die Identität Jesu mit dem Menschensohn vorausgesetzt werden. Das Logion sagt hier etwas aus über den Niedrigkeitsweg Jesu, ohne seinen hohen Anspruch, der im Menschensohntitel enthalten ist, in Frage zu stellen. Jesus ist trotz seiner gegenwärtigen Niedrigkeit der zukünftige Menschensohn-Richter. In welchem Maße in diesem Logion die apokalyptisch-endzeitliche Orientierung des Titels nivelliert worden ist, braucht hier nicht nachgeprüft zu werden. Es ist nur wichtig, daß etwas gesagt wird über den Niedrigkeitsweg Jesu[11], der aber offenbar von Gott so eingeplant ist und darum dem um Aufnahme in die Jüngerschaft Bittenden als Modell für sein eigenes zukünftiges Leben vorgestellt wird.

Das zweite Logion: »Laß die Toten ihre Toten begraben« (Lk 9,59 = Mt 8,22) wird bei Lukas durch den Nachfolgebefehl, den Jesus »an einen anderen« (9,59) richtet, hervorgerufen. Bei Matthäus fehlt die direkte Aufforderung zur Nachfolge. Statt dessen wird sofort von den Einwendungen gesprochen, die »ein anderer Jünger« (8,21) gegen die harten Bedingungen vorbringt. Er möchte zunächst seiner Sohnespflicht nachkommen und den Vater begraben. Das ist in Israel eine Pflicht der Pietät, die sehr ernst genommen wurde und sogar von den Pflichten des Gesetzes

---

[10] *Bultmann,* Geschichte 27 vermutet hinter dem Logion ein biographisches Apophthegma, welches jüdische Spruchweisheit aufgreift. Statt vom Menschensohn sei ursprünglich ganz allgemein vom Menschen die Rede gewesen. »Der Mensch, auf Erden heimatlos, wird den Tieren gegenübergestellt«. Die Überlieferung habe diesen jüdischen Weisheitsspruch mit dem Menschensohntitel verbunden und Jesus zugesprochen.

[11] *C. Colpe,* ὁ υἱὸς τοῦ ἀνθρώπου, in: ThW VIII, 435, hält es für möglich, daß der Spruch ursprünglich lautete: »Die Tiere haben ihre Schlupfwinkel, aber ein Mensch wie ich, Jesus, hat keine Stätte für sein Haupt«.

dispensierte.[12] Vor diesem Hintergrund muß der Befehl Jesu besonders anstößig wirken; für das jüdische Denken ist ein solches Verhalten geradezu frevelhaft. Die eigentliche Schärfe erhält das Logion durch die Konfrontation mit dem Herzstück der jüdischen Religion, dem Liebesgebot. Denn der letzte Dienst an den Toten ist für bestimmte Gruppierungen des Judentums zur Zeit Jesu die Spitze aller guten Werke.[13]

Über die Bedeutung des so schwer verständlichen Logions vom »Tote-Begraben« ist sehr viel nachgedacht worden. Man hat es aus der Polemik der Kyniker gegen aufwendige Totenbestattungen erklären wollen[14], oder man suchte Parallelen im hellenistischen Bereich[15] und in prophetischen Gleichnishandlungen des Alten Testaments.[16] Aber auf den ersten Blick ist zu erkennen, daß es sich bestenfalls um entfernte Analogien handeln kann, die zur Erklärung des provozierenden Jesuslogions nicht ausreichen können.

Ein so anstößiges Wort wird nur verständlich, wenn man es direkt auf die Person Jesu bezieht. Wer so sprechen kann und für den Angerufenen alle bisherigen Ordnungen souverän negiert, weiß, wer er ist. Er zwingt den Angerufenen in die Entscheidung. Letzten Endes gehört dieses Wort in einen größeren Gesamtrahmen. Der Ruf zur Nachfolge fordert völlige Freiheit von allen bisherigen familiären und gesellschaftlichen Bindungen (vgl. Mt 10,37/

---

12 Vgl. Ber 3,1a: »Der, dem sein Toter vor Augen liegt, ist befreit, das Schema aufzusagen, vom (Achtzehn)gebet und von allen Geboten, die in der Tora gesagt sind«.

13 Vgl. *Strack-Billerbeck* 4, 559-564. Weitere Hinweise zur Hochschätzung des Totendienstes bei *Hengel*, aaO. 9f, bes. Anm. 26. Vgl. vor allem auch Tob 4,3f; 6,15. Die Bitte um das Begräbnis durch den eigenen Sohn war ein allgemein verbreiteter Topos, über den die Testamentenliteratur und Flavius Josephus Auskunft geben.

14 Vgl. *Lukian*, Demonax; *ders.*, De luctu. Genaueres bei *Betz*, Lukian 74.120f.

15 Man verweist auf die Anklagerede gegen Sokrates bei Xenophon. Es wird ihm vorgeworfen, er habe die Leichname der Väter und der engsten Verwandten als etwas »Unnützes und Unbrauchbares« bezeichnet; *Xenophon*, Memorabilia Socratis, 1,2,53-55. *Plato*, Phaidon 115c-e.

16 Vgl. Jer 16,5-7; Ez 4,9-15; 12,1-7; Hos 1,2ff; Jes 20,1-6.

Lk 14,26). Jesus ist nicht gekommen, den Frieden zu bringen, sondern die Scheidung (Mt 10,34/Lk 12,51).[17]

Positiv gewendet wird man sagen dürfen, daß der Ruf Jesu ein Ruf zum Leben ist und sich deshalb mit alldem nicht verträgt, was mit dem Tod etwas zu tun hat. Alles Bisherige, das den Menschen umgeben hat, ist vor diesem Leben nur Tod. »Dieses Leben wird nicht empfangen, wenn der Mensch sich in Streitigkeiten um den irdischen Besitz einläßt, wie es bei Erbauseinandersetzungen geschieht, und wenn er sich durch Erfüllung der Pietätspflicht ein besonderes Verdienst erwerben will, das ihm das Leben verschaffen helfen soll.«[18] Die »Sache Jesu«, die sich in den überaus radikalen und für das normale Denken völlig unvernünftigen Bedingungen der Jesusnachfolge ausspricht, ist in einem solchen Maße personbezogen, daß sie ohne Jesus und seinen Anspruch absurd erscheinen mußte. Allein das hohe Selbstverständnis Jesu kann einer solchen Sache Autorität verleihen.

Das gilt auch grundsätzlich für das dritte Wort, das allein bei Lukas erhalten ist (9,61-62). Ob ideale Szene oder nicht, das Logion selbst (V. 62) ist sicher auf Jesus zurückzuführen. Es ist in seiner Bildhaftigkeit überzeugend. Der Mann hinter dem Pflug kann nur dann gerade Furchen ziehen, wenn sein Blick nach vorne gerichtet ist. Das gilt auch für die Jesusnachfolge: es gibt kein Zurückblicken. Angesichts der Basileia, die Jesus bringt und in deren Dienst der Nachfolgende gerufen ist, ist alles Vergangene und Zurückliegende erledigt. Obwohl es für das Wort Jesu in der griechischen Popularphilosophie und bei den Rabbinen Parallelen gibt[19], bleibt das Jesuswort wegen seiner Entschlossenheit und wegen der eindeutigen Beziehung auf die Person Jesu unübertroffen.

---

[17] Unter Umständen muß das Wort verstanden werden als Ausdruck des apokalyptisch-eschatologischen Motivs vom Zerbrechen der Familie in der endzeitlichen Drangsal (vgl. Mich 7,6; Sach 13,3; 1 Hen 99,5; Jub 23,16; Bar [syr] 70,6; vgl. aber auch Mk 13,12 par). Vgl. ebenso *Hengel*, aaO. 9-17.

[18] *Grundmann*, Lukas 205.

[19] Vgl. *Epiktet*, Enchiridion 74,322; *Strack-Billerbeck* 2,165f.

4. Bedingungslose Nachfolge und Lohnverheissung
(Mk 10,28-30 = Mt 19,27-29 = Lk 18,28-30)

Innerhalb der Perikope über den wahren Weg des Heiles markiert
die Petrusantwort: »Siehe, wir haben alles verlassen und sind dir
nachgefolgt« einen neuen Anfang. Der Hinweis auf die Nachfolge und auf das »Ja« der Jünger zu den radikalen Bedingungen
— in der Antwort Jesu werden sie noch einmal im einzelnen verdeutlicht: Haus, Bruder, Schwester, Mutter, Vater, Kinder, Äcker
— ist Anlaß für eine Lohnverheißung, die Irdisches und Himm-
lisches umfaßt.

Die Nachfolge wird unterschiedlich motiviert. Bei Markus heißt
es: »um meinetwillen und um des Evangeliums willen« (10,29).
Matthäus sagt statt dessen: »um meines Namens willen« (19,29),
und Lukas: »um des Reiches Gottes willen« (18,29). In allen drei
Fällen geht es um dieselbe Sache, die allerdings jeweils das besondere Verkündigungsanliegen des Redaktors herausstellt. Für
Markus ist das Evangelium die alles überragende Größe. Jesus
und das Evangelium gehören aufs engste zusammen und können
unter Umständen sogar miteinander ausgetauscht werden. Während Lukas die Betonung auf das Gottesreich legt, hat Matthäus
die christologisch-personale Komponente stärker betont. Das sind
keine Gegensätze, sondern verschiedene Akzentsetzungen. Es geht
nicht an, mit Berufung auf Mk 8,35 jede innere Verbindung von
Gottesreich und Jesus zu bestreiten.[20] Das Kommen des Gottesreiches ist in der Verkündigung Jesu an seine eigene Person und
seine Predigt gebunden. Jesus redet davon, daß Gott in seinem
Wort und in seinem Handeln bereits jetzt die Gottesherrschaft
aufrichtet. Die Annahme Jesu wird verstanden als die Voraus-

---

[20] Vgl. *Bultmann*, Geschichte 97. 115f, B. spricht von »dogmatischer Motivation«, welche für die Ersetzung der ursprünglichen Lukasfassung:
»um des Gottesreiches willen« durch die Kombination: »um meinetwillen und um des Evangeliums willen« (Mk 10,29) bzw. »um meines
Namens willen« (Mt 19,29) verantwortlich sein soll. In der Tat steht
letzten Endes dahinter die dogmatische Frage, ob Jesus lediglich der
Bote der zukünftigen Gottesherrschaft ist, oder ob diese Gottesherrschaft bereits im Wort Jesu und in seiner Tat sich auswirkt.

setzung für die Teilnahme am Gottesreich. Wer also um des Himmelreiches willen alles verläßt, der tut es letzten Endes um Jesu willen, in dessen Predigt das Kommen der Basileia angesagt wird. Nachfolge und Jüngerschaft erhalten von Jesus her ihre besondere Qualifikation. Da er selbst der Bote und Bringer des Gottesreiches ist, muß die Jüngerschaft als besonderer Dienst an der Verwirklichung der Gottesherrschaft verstanden werden.

Jesus und das Gottesreich — das sind die beiden überragenden Wirklichkeiten, welche der Jünger eintauscht gegen familiäre Bindungen und irdischen Besitz (Mk 10,29f). Das, was hier als Lohn verheißen wird, ist eine komplexe Größe. Es wird einerseits auf den Lohn in dieser Zeit hingewiesen, der mitten unter Verfolgungen gewährt wird — vielleicht haben wir es hier mit einem Trostwort für die bedrängte Gemeinde zu tun: »Ihr seid nicht allein, Ihr lebt jetzt schon in einer Gemeinde, die euch trägt« —, andererseits ist auch von der vollen Erfüllung in der künftigen Welt die Rede. Die radikalen Bedingungen der Jesusnachfolge haben zunächst nichts mit aszetischen Kasteiungen und mit der Verneinung der irdischen Wirklichkeiten zu tun. Sie sind Voraussetzung für einen »glückseligen Tausch«.

5. NACHFOLGE UND BESITZVERZICHT
(MK 10,21 = MT 19,21 = LK 18,22)

Die Perikope vom reichen Jüngling steht in der jetzigen Fassung unter dem Thema »Gefahren des Reichtums«. Der Ausspruch Jesu (Mk 10,23) macht das deutlich: »Wie schwer werden die Begüterten in das Reich Gottes hineinkommen!«

Das darf aber nicht darüber hinwegtäuschen, daß die Erzählung nach ihrer Grundstruktur eine Nachfolgegeschichte ist. Dieses ergibt sich aus der Antwort Jesu auf die Bitte des Fragenden (bei Markus und Matthäus heißt es »einer«, bei Lukas »ein Führender«): »und komm, folge mir nach«. Über den bloßen Nachfolgeruf hinaus wird hier von den besonderen Bedingungen gesprochen. Nachfolge fordert Verzicht auf den Besitz. Diese überspitzte Forderung: »Verkaufe alles und gib es den Armen« hat mit dem in jüdischen Sekten (Qumran) verbreiteten Armutsideal kaum etwas zu tun. Es geht nicht um Armut als besonderen Wert, sondern um die radikale und konsequente Verwirklichung der Nachfolge, die Ausschließlichkeit fordert. Nur derjenige, der sich ganz zu lösen weiß von allen bisherigen Bindungen, kann in die Jesusnachfolge eintreten.

Im jetzigen Zusammenhang hat das Logion eine über das Grundthema hinausgehende Bedeutung erhalten. Es ist Antwort auf die Frage nach dem Heil (»Guter Meister, was muß ich tun, damit ich das ewige Leben erbe?« Mk 10,17 = Mt 19,16 = Lk 18,18). Jesus gibt mit dem Nachfolgeruf zu verstehen, daß er nun an die Stelle der Tora getreten ist, denn er verkörpert endgültig und letztverbindlich den Willen Gottes. Darum wird die Forderung, die Gebote zu erfüllen (Mk 10,19) noch überboten durch den Nachfolgeruf. Nachfolge ist die konsequente Aktualisierung der Gebotserfüllung.[21]

Wir müssen davon ausgehen, daß die Perikope in der jetzigen Gestalt auf einer späteren Stufe der Tradition komponiert worden ist. Immerhin zeigt sich hier, daß die Gemeinde die Nachfolge Jesu und damit seine Person als den neuen Weg zum Heil verstanden hat, der an die Stelle des alten Gesetzesweges getreten ist. Der für uns bedeutsame Kern ist in dem Nachfolgeruf mit seinen harten Bedingungen enthalten. »Auch von ihm (dem Reichen) wird eine radikale Preisgabe des Alten verlangt, er muß gleichsam selbst jeden Rückweg versperren durch die Preisgabe seiner ganzen Habe und durch die Verteilung des Ertrages an die Armen.«[22]

6. Nachfolge als Verzicht auf verwandtschaftliche Bindungen — Das Wort vom Kreuztragen (Lk 14,25-35 = Mt 10,37.38)

Die beiden Logien vom Haß gegen die engsten Angehörigen und vom Kreuztragen in der Nachfolge Jesu gehören im Lukaskontext in einen größeren Zusammenhang, der die Bedingungen der Jünger-

---

[21] Vgl. *Neuhäusler*, Anspruch 175.
[22] *Hahn*, Nachfolge 20.

schaft darlegt. Der Abschnitt Lk 14,25-35 kann als eine Art Epilog auf das vorausgehende Gleichnis vom Festmahl und den unfolgsamen Festgästen verstanden werden. Nur wenige folgen nach dem Gleichnis der Einladung. Es sind Leute von Hecken und Zäunen. Nun wird gezeigt, was der einladende Ruf Jesu fordert: Die Nachfolge und Jüngerschaft ist hart und radikal, sie kennt keine Kompromisse, sie fordert das Letzte.

Das erste Stück von der radikalen Absage an verwandtschaftliche Bindungen (Lk 14,26) hat eine Parallele bei Matthäus in der Aussendungsrede (10,37).

Das zweite Wort vom Kreuztragen (Lk 14,27 = Mt 10,38) ist zudem auch in der Markustradition überliefert (Mk 8,34 = Mt 16,24 = Lk 9,23). Der Abschnitt Lk 14,28-33 fehlt bei Matthäus ganz. Er ist lukanisches Sondergut. Das abschließende Salzwort (Lk 14,34f) hat Parallelen bei Markus (9,50) und Matthäus (5,13). Uns geht es speziell um die beiden Logien von der Absage an die verwandtschaftlichen Bindungen und vom Kreuztragen.

Bei Lukas heißt es: »Wenn jemand zu mir kommt und seinen Vater und die Mutter und die Frau und die Kinder und die Brüder und die Schwestern und auch sein eigenes Leben nicht haßt, kann er nicht mein Jünger sein«. Matthäus sagt statt dessen: »Wer Vater oder Mutter mehr liebt als mich . . . wer Sohn oder Tochter mehr liebt als mich . . . ist meiner nicht wert«. Die harte und anstößige Wendung »hassen« ist ganz bestimmt ursprünglicher als das abgeflachte »mehr lieben« bei Matthäus. Keine spätere Tradition hätte das Logion in einer solchen Weise verschärfen können. In dem Schlußsatz weichen die beiden Referenten ebenfalls voneinander ab. Das »kann nicht mein Jünger sein« des Lukas ist wesentlich konkreter als das blasse »ist meiner nicht wert« des Matthäus. Hier wird das Generalthema angegeben: es geht um die Jüngerschaft. Der gleiche Satz steht außerdem noch am Schluß der beiden Gleichnisworte aus dem lukanischen Sondergut (14,28-33): »so auch jeder von euch, der nicht allem entsagt, was ihm gehört, nicht kann er mein Jünger sein«. Offenbar greift das Sondergut des Lukas hier das Thema aus Q auf. Wir können also davon ausgehen, daß Lukas die ursprünglichere Fassung erhalten hat. Aber was bedeutet nun ein solch radikales Wort?

Manche versuchen es abzuschwächen und erklären »hassen« als semitisierenden Ausdruck. Gemeint sei eben doch: »weniger lieben«. Das mag stimmen. Trotzdem ist eine solche Forderung überaus anstößig. Der Jünger Jesu soll sich eindeutig distanzieren von allen bisherigen Bindungen, auch von den engsten und natürlich gewachsenen, um ihm, nur ihm allein, zu gehören. Mit dem Kommen Jesu werden alle bisher gültigen Ordnungen relativiert. Jesus fordert den Jünger ganz, er bindet ihn kompromißlos an seine Person, so eng, daß keinerlei Raum mehr bleibt für andere Bindungen. Jesus weist jeden klar und bestimmt zurück, der nicht bereit ist, diese radikale Entscheidung zu fällen.

Wir fragen uns natürlich, wie so etwas möglich ist. So spricht jemand, der um die drängende Nähe des Reiches Gottes, das heißt der Vollendung, weiß, und der davon überzeugt ist, daß die Zulassung zur Basileia von Jesus abhängt. An der Person Jesu entscheidet sich alles, Heil oder Unheil. Weil Jesus von diesem Bewußtsein erfüllt ist, kann er in so rigoroser Weise alle bisherigen Ordnungen für ungültig erklären.

Die Logienquelle fügt an diesen Spruch das Wort vom Kreuztragen an (Lk 14,27 = Mt 10,38). Zwischen dem Wortlaut bei Lukas und Matthäus gibt es geringfügige Änderungen. Bei Lukas heißt es: »Wer nicht sein Kreuz trägt und geht hinter mir her, kann nicht mein Jünger sein«. Matthäus (10,38) sagt statt dessen: »Wer nicht sein Kreuz nimmt und folgt hinter mir her, ist meiner nicht wert«. Sprachliche Beobachtungen (der Terminus »Nachfolgen« — ἀκολουθεῖν – und: »ist meiner nicht wert« — statt: »kann nicht mein Jünger sein«) lassen vermuten, daß die Lukasfassung auch hier die ursprünglichere ist. Außerdem ist das Logion noch in der Markustradition erhalten (Mk 8,34 = Mt 16,24 = Lk 9,23), welche das »hinter mir hergehen« an die Spitze stellt und dann drei Bedingungen nennt: sich selbst verleugnen, sein Kreuz aufnehmen (statt λαμβάνει bzw. βαστάζει jetzt: ἀράτω), und nachfolgen (ἀκολουθείτω). Es wird deutlich, daß hier bereits Gemeindeparänese anklingt. Das »sich verleugnen« ist sicher ein Motiv aus der frühchristlichen Aszese. Das Kreuz-aufnehmen muß im Anschluß daran entsprechend verstanden werden. Die Nachfolge hat sich hier bereits verselbständigt und ist zu einer aszetischen Übung geworden. Das wird bei Lukas ganz deutlich (9,23). Dort heißt es: »der nehme *täglich* sein Kreuz auf sich«. Damit ist das alltägliche Kreuz gemeint, also all die kleinen Schwierigkeiten des Alltags. Nur noch indirekt wird hier Bezug genommen auf die Radikalität der Nachfolge, die eben das Ganze fordert.

Wir dürfen also wohl davon ausgehen, daß die Logienquelle das Wort vom Kreuztragen in der ursprünglicheren Gestalt überliefert hat. Jüngerschaft, das bedeutet Nachfolge Jesu, genauer: Kreuztragen.

Hier taucht nun die Frage auf, wie dieses Wort vom Kreuztragen gemeint ist. Hat Jesus bereits an sein eigenes Kreuz gedacht und sagen wollen, daß der Jünger denselben Weg des erlösenden Leidens gehen muß? Haben wir es an dieser Stelle mit einer Art Leidensmystik zu tun, wie sie unter Umständen in der Notiz des Kolosserbriefs vom stellvertretenden Leiden des Apostels (Kol 1,24) anklingt? Eine so ausgeprägte Reflexion über den Heilswert des Kreuzes Christi und über den Vorbildcharakter für das Christenleben kann man an dieser Stelle wohl kaum vermuten. E. Dinkler[23] nimmt an, das Kreuz beziehe sich auf das bei Ezechiel (9,4ff) erwähnte Zeichen, das als Aufforderung zur Umkehr und als Zusage des göttlichen Schutzes verstanden werden muß. Die äußere Form des Zeichens, das hebräische Taw, habe die christliche Gemeinde veranlaßt, es mit dem Kreuz Christi in Verbindung zu bringen. Die Erklärung ist geistreich, aber eben doch zu wenig abgesichert.

Es ist aber auch nicht ausgeschlossen, daß man im Kreuz das »schreckhafte Zeichen eines schändlichen Todes«[24] gesehen hat. Das Bild des Verurteilten, der sein Patibulum selbst zur Richtstätte trug, war den Zeitgenossen Jesu wohl vertraut. Manche messianische Bewegung wird auf solche Weise ein makabres Ende gefunden haben.

Ohne Zweifel haben politisch-messianische Motive bei der Verurteilung Jesu eine Rolle gespielt. Die Anschuldigungen im Prozeß und die Begründung der Todesstrafe auf dem Titulus des

---

[23] Kreuztragen 110-129.
[24] *Schnackenburg*, Sittliche Botschaft 29.

Kreuzes weisen in diese Richtung. Es ist nur die Frage, in welchem Maße sich Jesus damit identifiziert hat. Hier müssen allerdings ganz wesentliche Bedenken angemeldet werden. Das Bewußtsein von der Notwendigkeit des Kreuzestodes kann kaum aus dem Beispiel von fragwürdigen zeitgenössischen politischen Revolutionären abgeleitet werden, mögen sie und ihre Bewegungen sich auch noch so ideal dargestellt haben.

Mehr Wahrscheinlichkeit hat folgende Deutung für sich: Die christliche Gemeinde hat die Erfahrungen des Kreuzestodes Jesu, der bereits hinter ihr liegt, in ein Logion eingetragen, das zunächst sehr allgemein von der Selbstverleugnung gesprochen hat, wie es bei Markus noch deutlich wird. Jesusnachfolge, das ist identisch mit der Bereitschaft, den Niedrigkeitsweg Jesu nachzugehen. Der Jünger Jesu muß Ablehnung, Verkennung und Verunglimpfung auf sich nehmen, wie es im Weg Jesu vorgezeichnet ist. Dies alles darf nun nicht als eine asketische Übung verstanden werden, sondern die Lebens- und Schicksalsgemeinschaft mit Jesus fordert das ganz selbstverständlich. Jesus legt also den Jünger fest auf sein eigenes Geschick, das im Horizont der Ablehnung durch sein Volk und des scheinbaren Mißerfolges verstanden wird. »Dieser Weg ist auch euer Weg.«

Die Gemeinde hat dann später verdeutlicht und konkretisiert. Aufgrund der Jesusgeschichte und der Erfahrung des Kreuzestodes Jesu konnte sie nun neu sagen, was Nachfolge eigentlich bedeutet: nicht nur Ablehnung erfahren und Verkennung erdulden, sondern konkret bereit sein, wie Jesus am Kreuz zu enden. Die Formulierung »sein Kreuz nehmen« bzw. »sein Kreuz tragen« läßt bereits die Entwicklung zu einer Formel erkennen. Aus dem hohen Anspruch, Jüngergemeinschaft bis zum Kreuz zu verwirklichen, wird die alltägliche Mahnung, die Kreuze des Alltags zu tragen.[25]

Die Rede von der echten Jüngerschaft — eigentlich eine Sammlung von Logien zum Thema Jüngerschaft — geht nach dem Stück Sondergut (Lk 14,28-33) mit dem Salzwort (Lk 14,34.35) weiter. Es ist außerdem noch Mk 9,50 und Mt 5,13 überliefert.

---

[25] Vgl. *Schweizer,* Erniedrigung und Erhöhung 15.

Die Einleitung: »gut das Salz« stimmt bei Lukas und Markus überein. Sie macht gegenüber Matthäus: »Ihr seid das Salz der Erde« den urspünglicheren Eindruck. Der Sinngehalt ist bei Markus am klarsten erhalten: »Wenn aber das Salz salzlos wird, womit werdet ihr es würzen?«.

Matthäus und Lukas sprechen nicht vom »salzlos werden«, sondern vom »schal werden«, was sachlich dasselbe ist. Statt »würzen« (aktivisch Mk) sagt Lukas »gewürzt werden« (passivisch), Matthäus dagegen: »wird gesalzen werden«. Es ist nicht leicht, den ursprünglichen Wortlaut zu rekonstruieren.

Die ergänzenden und verdeutlichenden Zusätze »es taugt zu nichts (weder für das Land, noch für den Misthaufen Lk), man wirft es fort (damit es von den Menschen niedergetreten werde Mt)« stammt in jedem Fall aus Q.

Während das Wort bei Markus auf das Gericht bezogen ist, gehört es in Q offenbar zum Thema Jüngerschaft. Die Jünger sollen dem Salz gleichen. Sie sollen also für andere, für eine größere Gemeinde, vielleicht sogar für die Welt, bewahrende und stabilisierende Kraft haben.

Der Hinweis, daß das Salz faul werden kann, gibt eine gefährliche Möglichkeit für den Jünger zu erkennen. Offenbar muß es so etwas wie Müdigkeit, Lethargie und Nachlassen der ursprünglichen Schwungkraft schon gegeben haben, eine verbürgerlichte Jüngerschaft, die den Auftrag nicht mehr zielstrebig genug erfüllt hat.

Das Wort vom Zertreten ist unmißverständlich. Ein Jünger, der nur halb seinen Auftrag erfüllt, der sich anpaßt und Kompromisse schließt, ist dabei, das aufzugeben, was ihm noch Gehör verschafft in der Welt. Die Welt achtet ihn nicht, sie geht über ihn hinweg. »Wer Ohren hat zu hören, der höre!«.

Wir können heute nicht mehr mit Bestimmtheit sagen, in welcher Situation das Salzwort zuerst gesprochen worden ist. Wir stellen nur fest, daß Lukas es auf die Jüngerschaft bezogen hat, um auf diese Weise die Rolle des Jüngers in der Welt zu verdeutlichen. Daß damit die Intentionen Jesu sachlich richtig wiedergegeben sind, kann kaum bestritten werden.

7. Nachfolge und Verzicht auf die Ehe (Mt 19,10-12)

Der sogenannte Eunuchenspruch gehört zum Sondergut des Matthäus. Über seine Herkunft läßt sich nur schwer etwas sagen. Sprachliche Merkwürdigkeiten[26] könnten auf spätere Bildung hinweisen. Aber das Fehlen jeglicher Polemik und die sachliche Nähe zu den Verkündigungsgehalten Jesu, insbesondere zur Reich-Gottespredigt, spricht gegen den Versuch, ein solches Wort aus der nachösterlichen Gemeindesituation verständlich zu machen. Das Wort schließt sich an die Diskussion über die Erlaubtheit der Ehescheidung an. Die Haltung Jesu ist rigoros. Er verbietet die Scheidung, die im Judentum dem Manne — nicht der Frau — schon aus geringfügigem Anlaß erlaubt war. Darauf kommt die erschrockene Frage der Jünger: Soll man nicht besser ganz auf die Ehe verzichten? Jesus antwortet mit dem rätselhaften Wort: »Nicht alle fassen dieses Wort, sondern nur die, denen es gegeben ist. Denn es gibt Verschnittene, die aus dem Mutterleib (schon) so geboren wurden (also von Natur aus nicht zur Ehe taugen), und es gibt Verschnittene, die von den Menschen verschnitten wurden« (V. 11.12a).

Nun sagt Jesus weiter, vielleicht in Abwehr bestimmter Vorwürfe, die man gegen ihn und seine Jünger richtete: »und es gibt Verschnittene, die sich selbst um des Himmelreiches willen verschnitten haben« (V. 12b). Das ist nicht gerade vornehm ausgedrückt, aber es wird doch deutlich, daß es im Bewußtsein Jesu die Praxis der Ehelosigkeit um des Himmelreiches willen gegeben hat. Das Wort schließt mit dem Satz: »Wer es fassen kann, der fasse es«. Das will sagen: dieses gilt nicht für jedermann. Es wird hier nichts gegen die Ehe gesagt, aber es wird doch deutlich, daß das Genesiswort, das kurz zuvor in V. 5 zitiert wurde: »Deshalb wird ein Mann Vater und Mutter verlassen und seinem Weibe anhangen« (Gen 2,24) nicht die absolute Form der menschlichen Lebensordnung ist.[27]

---

[26] Vgl. *Lohmeyer*, Matthäus 283.

[27] Vgl. *J. Blinzler*, Εἰσὶν εὐνοῦχοι. Zur Auslegung von Mt 19,12: ZNW 48 (1957) 254-270. *Ders.*, »Zur Ehe unfähig . . .« Auslegung von Mt 19,12, in: Welt und Umwelt 20-40.

Dem normalen Lebensweg, der den Menschen veranlaßt, Vater und Mutter zu verlassen, um dem Weibe anzuhangen, entspricht der Ruf Jesu: »Wer Vater und Mutter nicht verläßt und mir folgt, ist meiner nicht wert«. Die Jüngerschaft und die Nachfolge ist also eine so ernste Sache, daß sie von dem Berufenen dasselbe fordert, was der normale Lebensstand der Ehe dem Mann abverlangt. Er sucht eine neue Gemeinschaft, die in der Liebe gegründet ist und Ausschließlichkeitscharakter hat. Genauso anspruchsvoll ist auch der Ruf Jesu. Der Berufene verläßt die bisher gültigen Ordnungen und darüber hinaus auch noch die von Jesus selbst so sehr herausgestellte Ordnung der Ehe, um ganz mit ihm zu sein. Die Jesusnachfolge geht über alles, sie ist das oberste Gut, vor welchem alles andere zurücktreten muß. Ein so radikaler Eingriff, ein so einschneidender Verzicht wäre in sich unsinnig, wenn er nicht begründet werden könnte von dem Anspruch dessen her, der solches verlangen kann. Jesu Person nimmt, das haben die Nachfolgeworte erkennen lassen, eine einzigartige Stellung ein.[28]

Es genügt freilich nicht, wenn man sich nur auf die Person Jesu beruft, ohne ihren Anspruch zu berücksichtigen. Beides gehört zusammen. Dieser Anspruch Jesu ist in dem programmatischen Wort, das nach Markus am Anfang seines öffentlichen Auftretens steht, enthalten: »Die Zeit ist erfüllt, das Reich Gottes ist nahe. Kehrt um, glaubt an das Evangelium« (Mk 1,15). Jesus prokla-

---

[28] *Blinzler* hebt die positiven Aspekte des »Eheverzichts«, die sich aus der Jesusnachfolge und der Nähe des Gottesreiches ergeben, deutlich hervor: »Wer sich so restlos vom Gottesreich hat erfassen lassen, daß es fortan die sein ganzes Wesen erfüllende, seine ganze Existenz beherrschende Macht geworden ist, für den ist es unmöglich, sein Leben nach den althergebrachten Werten, Rücksichten, Bindungen, Verpflichtungen auszurichten. Er *kann* nicht mehr sein Sinnen und Trachten auf Sicherung und Erhaltung des Lebens richten, er *kann* nicht mehr der Bindung an Sippe und Familie wie bisher Bedeutung zuerkennen; er *kann* schließlich auch nicht mehr, wenn verheiratet, das eheliche Leben fortsetzen oder, wenn unverheiratet, eine Ehe eingehen — das ›alles verläßt er‹, gibt er in der unbeschreiblichen Freude, die ihn übermannt hat, bedenkenlos preis, indem er in Jesu persönliche Nachfolge eintritt, um fortan ihm und dem in ihm Wirklichkeit gewordenen Gottesreich zu leben« (aaO. 30).

miert die Botschaft von der endzeitlichen Heilszuwendung Gottes, und die Menschen dürfen jetzt schon, mitten in der verlorenen und vergehenden Welt, die Nähe des Neuen und Endgültigen erfahren. Das Herankommen der Gottesherrschaft in der Person Jesu und in seiner Verkündigung bindet die Gegenwart an die Zukunft. Die Zukunft greift hinein in diese Zeit, sie ist nicht mehr »weit weg«, sie ist kein »irgendwann«, sondern sie ist konkret erfahrbar in all dem, was Jesus sagt und tut, sie ist greifbar in seinen Forderungen und Verheißungen.

Diese eschatologische Orientierung gibt aber den für das innerweltliche Denken so unvernünftigen Forderungen Jesu einen tiefen Sinn. Das gilt auch für die harten Bedingungen der Jüngerschaft. Die ganze Wirklichkeit der Jesusnachfolge läßt sich in ihren einzelnen Ausformungen nur verstehen von der Erfahrung des absolut Neuen her, das in Jesus gekommen ist. Das Wort vom neuen Lappen und vom neuen Wein bei Markus macht das ganz deutlich: »Niemand näht einen neuen Flicken auf ein altes Kleid; sonst reißt das aufgeflickte neue Stück vom alten wieder ab, und ein ärgerer Riß entsteht. Und niemand gießt jungen Wein in alte Schläuche; sonst wird der Wein die Schläuche sprengen, und der Wein kommt um samt den Schläuchen« (Mk 2,21-22).

Mit Jesus, mit seinem Anspruch und seinem Angebot, in seiner Predigt und in seinen Taten, ist dieses Neue jetzt schon gekommen. Jesus selbst ist dieser neue Wein, er fordert neue Schläuche, neue Lebensformen, neue Lebensbedingungen, die ungewöhnlich sind, radikal, unverständlich, aber sie sind von der Art, daß sie immer wieder auf ihn zurückweisen und sein ureigenes Signum an sich tragen. Verzicht auf die Ehe ist nicht an sich groß und gut, sondern nur um des Himmelreiches willen, das heißt um Jesu und um der Nachfolge Jesu willen. »Alles verlassen« ist nicht an sich eine gute Sache, sondern nur sinnvoll als Bedingung der Nachfolge.

Dieses Neue fordert den Menschen ganz. Jesus will Ausschließlichkeit, er duldet kein »Wenn und aber«, sondern er verlangt die klare unmißverständliche Entscheidung, das »Ja« oder das »Nein«. Wieder wird man fragen dürfen, worin dieser »Rigorismus« begründet ist. Hier geht es um mehr als um aszetische Hochleistungen und heroische Akte; es ist einfach der totale Anspruch Jesu, der nur mit dem totalen Gehorsam beantwortet werden kann. Hinter diesem Anspruch steht das hohe Selbstbewußtsein Jesu, das sich in derartigen Forderungen verdeutlicht.

Das Wort Jesu ist machtvoll, es stellt eine Relation her, die, von der anderen Seite aus gesehen, totaler Gehorsam und totale Hingabe ist. Wo solche Wort-Relationen weitergesagt werden und wo Menschen im Glaubensgehorsam sich in ein solches Beziehungsverhältnis hineinbegeben, da erfährt man etwas von der Autorität Jesu. Eine auf solche Weise gewonnene »Christologie« ist funktional und personal zugleich. Sie geht aus von Relationen, denn Worte haben ja den Charakter einer Relation. Aber anders als bei den Überlegungen von W. Marxsen[29] ist hier nicht der Mensch und sein jeweiliger Glaube das auslösende Moment, sondern eben Jesus selbst, der solche Wort-Relationen freigibt.[30] Die personalen Vorgegebenheiten bleiben also in jedem Fall gesichert. Sie sind auf der anderen Seite durch ihren Anspruch und ihr Angebot, mit dem sie dem Menschen entgegentreten, geschützt vor personalistischen Erstarrungen und Verkrustungen.

II. DER NONKONFORMISMUS JESU

1. JESUS — STEIN DES ANSTOSSES

Die bisherigen Ausführungen zur Jüngerschaft und zur Nachfolge lassen durchgehend einen Grundzug erkennen, der für die gesamte Verkündigung Jesu typisch ist; man könnte ihn den »Nonkonformismus Jesu« nennen. Sowohl die Wortverkündigung als auch

---

[29] Anfangsprobleme 19.

[30] Es sei hier erinnert an die Versuche von *Fuchs* und *Ebeling*, mit Hilfe der Kategorie »Sprache« und »Wort Gottes« zum geschichtlichen Jesus zu gelangen. Fuchs geht davon aus, daß es in der Geschichte Jesu Christi um die Geschichte der Sprache Jesu geht, die heute hörbar gemacht werden muß (Hermeneutik 139). Ebeling spricht vom »Wortgeschehen«. Das Wort hat eine hermeneutische Funktion, es ist nicht nur Abbild der Sache, die Umschreibung einer objektiv vorgegebenen Sache, sondern die Sache selbst ist im Wort und begegnet mir unmittelbar im Wort (Theologie und Verkündigung).

das Verhalten Jesu — das eine kann ja niemals isoliert vom anderen gesehen werden — ist gekennzeichnet durch einen auffallenden Rigorismus, der ständig im Konflikt steht mit den natürlich-ethischen Normen und mit den heiligen Satzungen der jüdischen Religion. Jesu Botschaft läßt sich nicht einordnen in ein wie immer auch geartetes humanes Menschenbild oder in ein vernünftiges, innerweltlich verstehbares ethisches System. Wer die Botschaft Jesu hört, der hat zunächst den allgemeinen Eindruck einer großen Fremdheit. Eine solche Botschaft ist für den »normalen« Menschen ein Ärgernis, und nicht von ungefähr ist das Wort »Skandalon« ein Zentralbegriff des Neuen Testaments. Insbesondere die synoptischen Evangelien zeigen auf, daß die mit Jesus gekommene gegenwärtige Heilszeit Entscheidungszeit ist, welche die doppelte Möglichkeit des Glaubens und des Unglaubens vor der Botschaft Jesu bietet. Denn Jesu Person und Jesu Werk haben nicht nur glaubenweckende Kraft, sie können auch am Glauben irre machen. Hierin erkennen die Evangelien den besonderen Anspruch Jesu. Er bringt wohl die von den Propheten angesagte σωτηρία (Heil), er ist aber auch der »Stein des Anstoßes« und Urheber des eschatologischen σκανδαλισμός (Anstoß). Die lukanische Kindheitsgeschichte hat das in klassischer Weise formuliert: »Dieser ist zum Falle und zur Auferstehung vieler in Israel bestimmt, zum Zeichen des Widerspruchs« (Lk 2,34f).

Die Bewohner von Nazareth nehmen nicht nur an dem für sie ärgerlichen Widerspruch zwischen seiner unscheinbaren bürgerlichen Herkunft und dem ungewöhnlichen Auftreten Anstoß, sie verweigern ihm den Glauben wegen des hohen Anspruchs seiner Person und seiner Verkündigung. Jesus bezieht das Prophetenwort, das die messianische Zeit ansagt, auf sich selbst, indem er sagt: »Heute ist dieses Schriftwort, wie ihr's gehört, erfüllt« (Lk 4,21). Das ist für die Bewohner von Nazareth unerträglich. Die Szene in der Synagoge von Nazareth ist mehr als eine mißglückte Anfangspredigt; sie ist kennzeichnend für die innere Struktur der Jesusverkündigung (Mk 6,3 = Mt 13,57 = Lk 4,14-30).

Dasselbe gilt auch für den Widerspruch der Pharisäer gegen die Worte Jesu (Mt 15,12). Sie sind keinesfalls nur entrüstet über den unbequemen Außenseiter, sondern ihre Ablehnung ist grundsätzlich.[1] Darum sind sie für das Matthäusevangelium Blinde, die Blinde führen wollen (Mt 15,14). Ihre Blindheit ist nichts anderes als Unglaube (Mt 13,13), der zum Verderben führt.

Natürlich ist mit dem Stichwort »Unglaube« ein ganz entscheidender Punkt angesprochen. Wie weit reicht eigentlich die Verblendung dieser Leute und wie groß ist ihre Schuld? Vielleicht hat der Umstand, daß ihr Versagen als Folie für die Erlösungstat Gottes in Jesus Christus verstanden wurde und von den neutestamentlichen Theologien in diesem Sinne gedeutet worden ist, dazu beigetragen, die Perspektive etwas zu verzerren. Was aber für unsere christologische Frage wichtiger ist, das ist doch die Tatsache, daß der Widerspruch offenbar von Anfang an die Person Jesu kennzeichnet und daß es ohne Berücksichtigung dieser Tatsache keine sachgerechte Beurteilung der Person Jesu geben kann.

2. JESU KRITIK AN DER JÜDISCHEN RELIGIOSITÄT

Dieser Widerspruch hat nach außen hin verschiedene auslösende Faktoren im Verhalten Jesu und in seiner Botschaft, etwa seine freie Einstellung zum jüdischen Gesetz, oder die Unterscheidung zwischen dem verbindlichen Willen Gottes und der unverbindlichen menschlichen Interpretation, damit zuammenhängend die Ablehnung der jüdischen Kult- und Reinheitsvorschriften.

Eine ganze Reihe von Einzelmotiven wäre hier zu nennen, die allesamt auf den einen gemeinsamen Nenner gebracht werden können: Jesus hat mit der jüdischen Gesetzlichkeit gebrochen, er hat statt des Gottes der Tora den Vater-Gott gepredigt. Er hat auf diese Weise eine Entwicklung hervorgerufen, die konsequenterweise zu seinem Tod führen mußte.

Wir haben bereits darauf hingewiesen, daß die für den Nonkonformismus Jesu typische antithetische Formel »Ich aber sage euch« unter Umständen redaktionell sein kann.[2] Trotzdem kann man kaum bestreiten, daß hier ein Grundzug der Jesusverkündigung sich ausspricht. Das Jesusschicksal ist nur vom Widerspruch und

---

[1] Vgl. G. *Stählin,* σκάνδαλον, in: ThW VII, 338-358.
[2] Vgl. diese Arbeit B) III.

von der Überbietung des herkömmlich Jüdischen einsichtig. Jesus ist als Rebell hingerichtet worden. Obwohl römische Instanzen für die Exekution verantwortlich waren und obwohl die christliche Gemeinde schon sehr früh die Passionsberichte antijüdisch redigiert hat, wird man kaum bestreiten können, daß der Tod Jesu letzthin zurückgeht auf den von ihm gewollten Bruch mit den geheiligten jüdischen Traditionen.[3]
Diese Feststellung könnte den Eindruck erwecken, als habe es im Bewußtsein Jesu und in seinem ganzen Verhalten eine zeitliche und sachliche Grenzlinie gegeben zwischen Judentum und Gesetz, zu dem er ja doch aufgrund seiner menschlichen Herkunft in einer natürlichen Beziehung stand, und seiner eigenen Botschaft, welche im Widerspruch stand zu den jüdischen Traditionen. Das trifft nur in begrenztem Maße zu.
Zunächst muß davon ausgegangen werden, daß Jesus sich in seinem äußeren Habitus auf weite Strecken angepaßt hat. Er tritt auf wie ein Rabbi. Wenngleich nirgendwo davon berichtet wird, daß er die Ausbildung eines jüdischen Lehrers erhalten hat, unterscheiden sich die äußeren Formen seines Auftretens nicht wesentlich von dem vorgegebenen jüdischen Modell. Er predigt in der Synagoge und hält sich dort an die üblichen Formen, er diskutiert nach den traditionellen Regeln über das Gesetz, man sucht ihn in Rechtsstreitigkeiten auf, um von ihm eine Entscheidung zu erbitten (Lk 12,13). Den gleichen Eindruck vermittelt auch die lukanische Kindheitsgeschichte, die den Zwölfjährigen im Kreis der Schriftgelehrten auftreten läßt (Lk 2,41ff), und selbst das ohne Zweifel redaktionell überzeichnete 23. Kapitel des Matthäusevangeliums kann noch ganz selbstverständlich feststellen, daß die Schriftgelehrten und Pharisäer auf dem Stuhl des Moses sitzen (Mt 23,2).[4]

Das klingt durchaus nicht nach Kritik. Man wird sich darum vor all zu einfachen Pauschalurteilen hüten müssen. Jesus und das Judentum des Gesetzes — das ist ein äußerst komplexes Gebiet. Um so drängender ist die Frage: An welchen Punkten hat sich

---

[3] Vgl. *Niederwimmer*, Jesus 53.
[4] Vgl. *Bultmann*, Jesus 52-56.

Jesus ganz eindeutig von den geheiligten Traditionen abgesetzt, und wo ist das für uns erkennbar?

G. Bornkamm[5] sagt richtig: Nicht die Methode, sondern der Inhalt wird angegriffen. Jesus nimmt für sich in Anspruch, den im Gesetz enthaltenen Willen Gottes in unverkürzter Form, in seinem ursprünglichen Sinne, freizulegen. Er tut dies kraft göttlicher Autorität in einer Weise, die unüberbietbar und endgültig ist. »Indem er den absoluten Willen Gottes verkündet, spricht Jesus nicht als Gesetzgeber, sondern als Gesandter Gottes in letzter Stunde.«[6]

Jesus stand bei aller äußeren Anpassung den geheiligten Traditionen seines Volkes mit einer für seine jüdischen Zeitgenossen anstößigen Freiheit und Souveränität gegenüber. Sein Verhalten wirkte nicht deshalb anstößig, weil er verbissen gekämpft hätte, nach festem Plan und klar erkennbarem System. Ganz im Gegenteil, man sucht zunächst vergebens nach einem einsichtigen Konzept für sein Verhalten. Bei genauerem Hinsehen erst erkennt man, daß sein leitendes Motiv mehr ist als die bloße Ablehnung und die radikale Außerkraftsetzung — in diesem Sinne muß man die prägnanten Antithesen der Bergpredigt in der Tat unhistorisch nennen. Was für Jesus kennzeichnend ist, das ist einfach seine unkonventionelle Art, mit den Traditionen des Judentums umzugehen. »Er hat die schriftliche und mündliche Tora gelten lassen, wann und wo es ihm richtig schien. Er hat diese seine Freiheit nie zum theologischen ›Thema‹ erhoben oder irgendwie zu rechtfertigen versucht (das tut erst — mit zumeist untauglichen Mitteln — die nachösterliche Gemeinde). Er hat sich diese Freiheit einfach genommen.«[7]

Aber diese Freiheit darf nicht mit Laxismus oder uninteressierter Gleichgültigkeit verwechselt werden. Sie hat vielmehr ihre tiefste Wurzel in dem Bewußtsein, daß mit ihm eine das Gesetz in letztverbindlicher Weise interpretierende und überbietende Instanz gekommen ist.

---

[5] Jesus 89.

[6] *M. Dibelius,* Die Bergpredigt, in: Botschaft und Geschichte (Gesammelte Aufsätze I) Tübingen 1953, 130.

[7] *Niederwimmer,* aaO. 55.

Diese Überbietung der jüdischen Religionspraktiken ist am auffälligsten in den rituellen und sittlichen Teilen des Gesetzes. Es kann nicht unsere Aufgabe sein, einen erschöpfenden Überblick über die Ethik Jesu auch nur im Ansatz zu versuchen. Es soll vielmehr dieser eine typische Grundzug des radikalen Nonkonformismus an einigen auffälligen Beispielen aufgezeigt werden.

3. Jesu Kritik an der Ehescheidung
(Mk 10,11-12 = Mt 19,9/Lk 16,18 = Mt 5,32)

Die Stellungnahme Jesu zur Ehescheidung ist sowohl in der Markustradition (Mk 10,11-12 = Mt 19,9) als auch in der Logienquelle (Lk 16,18 = Mt 5,32) enthalten. Das ursprüngliche Jesuswort ist im Verlauf des Traditionsprozesses mehrfach abgewandelt und den jeweils neuen Situationen angepaßt worden. Trotzdem ist es noch möglich, die ursprüngliche Form zu rekonstruieren.
Die entscheidenden Unterschiede ergeben sich aus der Neuinterpretation des Logions durch die Matthäusredaktion, bzw. durch die dem Matthäus vorgegebenen Gemeindetraditionen. Nach Markus antwortet Jesus in dem Streitgespräch mit den pharisäischen Gesprächspartnern auf die Frage, ob es dem Manne erlaubt ist, seine Frau zu entlassen, klar und unmißverständlich: »Wer immer entläßt seine Frau und heiratet eine andere, Ehebruch treibt er an ihr« (Mk 10,11). Das Logion ist in der Lukasfassung von Q in der gleichen Kompromißlosigkeit überliefert: »Jeder, der entläßt seine Frau und heiratet eine andere, Ehebruch treibt er« (Lk 16,18).
Bei Matthäus dagegen hat das Wort sowohl in der Markustradition, als auch an der auf Q zurückgehenden Stelle 5,32 eine andere Ausrichtung, die auf Konzessionen hinweist. Das wird bereits in der einleitenden Frage bei Mt 19,3 sichtbar: »Darf ein Mann seine Frau in *jedem Fall* entlassen?« Offenbar soll Jesus hier in einer Streitfrage zwischen den beiden Rabbinenschulen des Hillel und des Schammai Stellung nehmen, die beide die Ehescheidung grundsätzlich erlaubten, sich aber in der Abgrenzung der Scheidungsgründe voneinander unterschieden. Bei Markus geht es gar nicht um diesen Streitfall, sondern um die grundsätzliche Frage, ob die

Scheidung erlaubt ist oder nicht. Von daher sind die Antworten in gewissem Sinne präjudiziert: Die Pharisäer rekurrieren bei Matthäus auf die Konzession von Dtn 24,1, die von Jesus als Zugeständnis an die Herzenshärte gedeutet wird (Mt 19,7.8). Dann folgt das Ehescheidungsverbot — aber mit der interessanten Klausel μὴ ἐπὶ πορνείᾳ (außer wegen Unzucht). Die gleiche Einschränkung des in der Markusfassung eindeutigen Scheidungsverbotes (Mk 10,11; vgl. auch Lk 16,18) findet sich ebenfalls Mt 5,32: παρεκτὸς λόγου πορνείας (außer im Falle der Unzucht).

Wie immer dieser Umstand zu erklären ist und welche Hintergründe die Klausel haben mag[8], fest steht in jedem Fall, daß Jesus die Ehescheidung grundsätzlich verboten hat und daß erst die judenchristliche Gemeinde nach Ostern die rigoristische Haltung Jesu »entschärft« hat. Wie befremdlich für diese Gruppe das Verbot der Scheidung und der nachfolgenden Wiederverheiratung (Mk 10,11; Lk 16,18) gewesen sein muß, geht aus dem bei Matthäus wiedergegebenen Streitgespräch hervor. Moses hat ja erlaubt, in bestimmten Fällen einen Scheidebrief auszustellen (Dtn 24,1). Kann Jesus eine solche Autorität übergehen oder gar bewußt negieren? Der Hinweis auf die Herzenshärte, welche die Ursache für das Zugeständnis des Moses ist (Mt 19,8), verbirgt nur mühsam die Verlegenheit jener Leute, die zwischen der Autorität des Gesetzes und dem fordernden Jesusgebot standen. Die »Unzuchtsklausel« gibt die gleiche Ratlosigkeit zu erkennen. Wenn man bedenkt, daß diese Beschränkung der Ehescheidung auf diesen Aus-

---

[8] Vgl. *A. Sand*, Die Unzuchtsklausel in Mt 5,31.32 und 19,3-9: MThZ 20 (1969) 118-129. Nach S. hat Matthäus die Klausel bereits in doppelter Ausprägung vorgefunden. Die Konzession geht keinesfalls auf Jesus zurück, sondern auf judenchristliche Kreise der nachösterlichen Gemeinde, welche in Anlehnung an die rabbinische Gesetzesauslegung Jesus als den neuen Gesetzeslehrer verstanden. Durch den Einfluß solcher Tendenzen seien auch gewisse »Entschärfungen« von provokativen Jesusworten zu verstehen. Für die Ehescheidungsworte würde das in besonderem Maße zutreffen. »Der ›Sitz im Leben‹ dürfte ... in judenchristlichen Gemeinden zu suchen sein, die für ihre Situation des Anfangs und Übergangs ›Unzucht‹ als Scheidungsgrund gelten ließen« (128).

nahmefall für das rabbinische Denken bereits der Gipfel der Sittenstrenge war, dann kann man daran ermessen, wie ungeheuerlich für einen Juden und auch für den Christen, der aus den jüdischen Traditionen kam, der Rigorismus Jesu sein mußte.

Für Jesus freilich ist eine solche Haltung typisch. Er interpretiert eben nicht das Gesetz, wie es Schammai und Hillel taten, sondern er überbietet es kraft seiner eigenen Autorität. Er will nicht das Gesetz und die Realitäten des Lebens miteinander in Einklang bringen durch Kompromisse, sondern er zeigt klar und unmißverständlich die Grenzen des Gesetzes auf. Wo das Gesetz am Ende ist, wird die Autorität Jesu sichtbar.

4. JESU KRITIK AM RITUALGESETZ
(MK 2,27f = MT 12,8 = LK 6,5)

Dieser Nonkonformismus Jesu zeigt sich auch an seiner Einstellung zum jüdischen Ritualgesetz, insbesondere an seinem Verhältnis zum Sabbatgebot und zu den Reinheitsvorschriften. Ein für die Sabbatkritik Jesu typisches Logion findet sich im Rahmen der sogenannten galiläischen Streitgespräche (Mk 2,27.28 = Mt 12,8 = Lk 6,5). Im Anschluß an die Erzählung vom Ährenraufen der Jünger am Sabbat (Mk 2,23) mit dem darauffolgenden Streitgespräch zwischen Jesus und den Pharisäern (Mk 2,24-26) wird das Doppelwort überliefert: »Der Sabbat ist um des Menschen willen geschaffen, und nicht der Mensch wegen des Sabbat. Darum ist Herr der Menschensohn auch über den Sabbat« (2,27.28).

Während Markus zwei, wahrscheinlich ursprünglich selbständige Logien nebeneinanderstellt, beschränkt sich Matthäus auf die Überlieferung eines einzigen Spruchs.

Die traditionsgeschichtlichen Zusammenhänge sind nicht eindeutig zu klären. Man hat vermutet, daß V. 27 auf jüdische Traditionen zurückzuführen ist, welche den Menschen über den Sabbat stellen[9]; der V. 28 sei dagegen aus dem vermutlich ursprünglichen Jesuswort von V. 27 herausgesponnen. Daß jetzt die Autorität des

---

[9] »Euch ist der Sabbat übergeben, und nicht seid ihr dem Sabbat übergeben« (Strack-Billerbeck 2,5). Vgl. *Bultmann,* Geschichte 88.

eschatologischen Menschensohns bemüht wird, liege ganz auf der Linie der Gemeindechristologie; der Menschensohnspruch sei zu verstehen als »an early comment on the saying, ›The sabbath was made for man, and not man for the sabbath‹«.[10] Die nachösterliche Gemeinde habe also Jesus den Menschensohntitel als Selbstbezeichnung in den Mund gelegt.[11]

Für uns bringt die Frage der traditionsgeschichtlichen Einordnung von V. 28 nicht sehr viel ein. Wichtig ist nur, daß Jesus sich hier über den Sabbat stellt. Es kann sein, daß die frühe Gemeinde, welche diese Grundeinstellung Jesu erfahren hat, dieses durch den Titel »Menschensohn« zum Ausdruck gebracht hat, es kann auch sein, daß Jesus selbst mit diesem Ausspruch: »Darum ist Herr der Menschensohn auch über den Sabbat« (V. 28) seine Kritik noch einmal unterstreichen wollte. Zu einem sicheren Ergebnis wird man hier nicht kommen können. Das Wort gibt in jedem Fall die Haltung Jesu wieder. Es geht ihm also nicht um etwas mehr Freiheit von den strengen Vorschriften; Jesus möchte auch nicht nur ein »Mehr« an Humanität predigen. Der Satz: »Der Sabbat ist um des Menschen willen da« ist nur sinnvoll, wenn er auf den bezogen wird, der selbst Herr des Sabbat ist. Indem Jesus diesen Anspruch erhebt, kann er dem Menschen eine neue Freiheit schenken. Man würde das Wort also gründlich mißverstehen, wenn man es im Sinne einer aufklärerischen Libertinage deuten wollte. Jesus fordert nicht weniger, sondern im Grunde mehr. Dieses »mehr« hat freilich einen neuen Ursprung und eine tiefere Begründung bekommen in dem Anspruch Jesu, den die Gemeinde als den Menschensohn bekennt. In derselben Weise, wie Jesus sich über das Sabbatgebot hinwegsetzen konnte, hat er auch die jüdischen Ritualvorschriften außer Kraft gesetzt. Sein Ziel ist nicht Abschaffung, sondern Überbietung und Verinnerlichung. Auf solche Weise wird der besondere Anspruch Jesu deutlich.

---

[10] *Taylor*, Names of Jesus 28.
[11] Vgl. *Tödt*, Menschensohn 122f.

5. Jesus und die neue Sittlichkeit
(Mk 7,1-23 = Mt 15,1-20; Mk 2,19a = Mt 9,15a = Lk 5,34; Mt 5,39-42 = Lk 6,29f)

Die Perikope ist literarisch aus mehreren Stücken zusammengesetzt, von denen der Abschnitt 7,14-23, besonders das Logion V. 15: »Nichts gibt es außerhalb des Menschen, was ihn gemein machen könnte, wenn es in ihn eingeht; sondern das, was aus dem Menschen herauskommt, das ist es, was den Menschen gemein macht« für die Frage nach dem Anspruch Jesu bedeutsam ist.

Während der erste Abschnitt 7,1-8 die jüdische Gesetzestheorie korrigiert, welche auch die Auslegung des Gesetzes (Überlieferung der Alten) als integralen Bestandteil des mosaischen Gesetzes verstand, setzt der Abschnitt 7,14-23 grundsätzlicher und tiefer an. Auf die traditionsgeschichtlichen Zusammenhänge brauchen wir an dieser Stelle nicht einzugehen.[12] Es genügt zu wissen, daß V. 15 vermutlich der älteste Kern ist, der ursprünglich vielleicht eine Antwort war auf die Frage nach den unreinen Speisen. Hier wird nicht mehr lediglich interpretiert, sondern die Grundvorstellung des Judentums von der Gleichwertigkeit aller Gebote wird korrigiert. Damit steht Jesus im klaren Widerspruch zum jüdischen Gesetz. Er erhebt ja keinesfalls nur den Anspruch, den Willen Gottes besser zu kennen, sondern er verändert die Substanz der Tora und tritt selbst auf als der neue Gesetzgeber.

Das Logion Mk 7,15 ist im formalen und materialen Sinne Ausdruck für den Nonkonformismus Jesu. Indem er die Autorität des Gesetzes für sich beansprucht, relativiert er alle anderen Autoritäten. Sein Wort allein hat fortan Gültigkeit.

Das findet seinen Ausdruck in der Rückführung der sittlichen Verantwortung auf die Entscheidungen des Herzens. »Er projiziert die Schuldgefühle nicht mehr in die Außenwelt, überträgt nicht mehr eigene, innere, persönliche Schuld als ›Schmutz‹ auf die gegenständliche Wirklichkeit; sondern wer so redet, nimmt wahr, daß Reinsein vor Gott Reinsein des ›Herzens‹ ist.«[13] Für das zeit-

---

[12] Vgl. *Schweizer*, Markus 82f.
[13] *Niederwimmer*, aaO. 67.

genössische Judentum ist das in der Tat etwas Anstößiges.« Wer
bestreitet, daß die Unreinheit von außen auf den Menschen ein-
dringt, trifft die Voraussetzungen und den Wortlaut der Tora und
die Autorität des Moses selbst. Er trifft darüber hinaus die Voraussetzungen des gesamten antiken Kultwesens mit seiner Opfer-
und Sühnepraxis. Anders gesprochen: er hebt die für die gesamte
Antike grundlegende Unterscheidung zwischen dem Temenos, dem
heiligen Bezirk, und der Profanität auf und kann sich deshalb den
Sündern zugesellen.«[14]
Ähnliches könnte man zu der Freiheit Jesu gegenüber der jüdischen Fastenpraxis sagen. Das Logion Mk 2,19a = Mt 9,15a =
Lk 5,34: »Können denn die Hochzeitsgäste fasten, solange der
Bräutigam bei ihnen ist?« kann mit dem Hinweis auf ein umlau-
fendes Sprichwort kaum erklärt werden.[15] Es ist Ausdruck für eine
grundsätzliche Einstellung Jesu, die ihren Niederschlag gefunden
hat in dem in der Logienquelle überlieferten Vorwurf, Jesus sei
ein Fresser und Säufer (Mt 11,18f = Lk 7,34). Jesus nimmt für
sich in Anspruch, der Bräutigam zu sein, dessen Gegenwart Trau-
rigkeit vertreibt und sich nicht verträgt mit frommen Übungen,
die alle charakteristischen Merkmale der Vorbereitungszeit haben.

Jesus stand mit dieser unaszetischen Haltung eigentlich weniger im
Widerspruch zu verbindlichen Praktiken des Judentums — es wird
ja nicht ausdrücklich gesagt, daß er das Fasten grundsätzlich abgelehnt hat — er hält es vielmehr nicht angebracht für alle, die
sich in seiner Nähe befinden. Damit gibt er zu erkennen, daß
durch seine Person gültige und durchaus sinnvolle Praktiken relativiert werden. Hierher gehört sachlich das schon erwähnte Wort
vom neuen Wein und den alten Schläuchen.
Einzig und allein dieses hohe Selbstbewußtsein Jesu verbunden mit
der von ihm vertretenen Wirklichkeit des Gottesreiches vermag
eine Gruppe von Logien verständlich zu machen, welche nach rein
menschlichen Maßstäben gemessen einfach absurd sind. Besonders
aufreizend wirkt die Forderung, in jedem Fall auf Wiedervergeltung zu verzichten. Bei Lukas steht sie in einem Lehrgedicht über

---

[14] *Käsemann*, Exegetische Versuche I 207.
[15] Vgl. *Niederwimmer*, aaO. 68; *Bultmann*, Geschichte 107 Anm. 1.

das Liebesgebot (Lk 6,29.30), Matthäus hat sie innerhalb der Berg-predigt[16] durch das »Ich aber sage euch« dem »Auge um Auge, Zahn um Zahn-Prinzip« des Judentums antithetisch gegenüberge-stellt (Mt 5,39-42). Für Jesus ist nicht die Feindesliebe das typische Kennzeichen — auch das Judentum kannte vergleichbare An-sprüche —, sondern die Forderung, Unrecht zu erdulden und auf jeden Widerstand zu verzichten.

Man hat diese Haltung als »Ohrfeigenmoral« verschrien und von einem würdelosen Menschenbild ohne Selbstachtung und Ehrgefühl gesprochen. Man hat aus dieser Forderung Jesu auf der anderen Seite auch ein Gesetz machen wollen, das die Norm abgeben soll für das Zusammenleben der Menschen und für die rechtliche Rege-lung der zwischenmenschlichen Beziehungen. Beides geht an der von Jesus gemeinten Sache vorbei. Es handelt sich nicht um Moral-vorschriften, sondern um Gebote, die nur aus der drängenden eschatologischen Jesusverkündigung verständlich sein können. Weil Jesus um die Nähe der Basileia weiß, kann er in einer so maß-losen und — für das innerweltliche Verständnis — völlig unver-nünftigen Weise Forderungen stellen. Man muß also das charisma-tisch-enthusiastische Bewußtsein Jesu immer in Rechnung stellen. Die rigoristischen Ansprüche Jesu wollen nicht aufzeigen, wie man in dieser Zeit fromm und gottgefällig leben kann, sondern sie stellen den Menschen vor das Unbedingte, »das zwar in jedem Gebot ge-genwärtig ist, aber doch von keinem einzigen wirklich erreicht wird, weil es über alle Gebote hinaus liegt«.[17]

Hier erhebt sich freilich die Frage, welchen Sinn solche Forderun-gen für uns heute noch haben können, in einer veränderten Zeit, für welche die drängende Nähe der Eschata offenkundig nicht mehr im gleichen Maße bestimmend ist wie für die Situation Jesu.

R. Schnackenburg[18] antwortet auf diese Frage richtig, man dürfe Jesus nicht im Sinne des Eschatologismus mißverstehen, es gehe

---

[16] Vgl. Mt 5,21-26: Vom Töten; 5,27-30: Vom Ehebruch; 5,31-32: Von der Ehescheidung; 5,33-37: Vom Schwören; 5,38-42: Von der Wieder-vergeltung; 5,43-48: Von der Feindesliebe.

[17] *Niederwimmer*, aaO. 61.

[18] Sittliche Botschaft 63.

nicht um »letzte Vorbereitungen«, sondern um »Vorbereitungen für das Letzte«. In diesem Sinne haben diese Worte ohne Zweifel auch für uns einen tiefen Sinn.

In höchstem Maße schockierend ist das Wort von der »anderen Wange«. Hier gilt natürlich in verstärktem Maße das vorhin Gesagte: Jesus gibt keinen Sittenkodex (Matthäus geht indes schon eher von dem »neuen Gesetz« aus), sondern er gibt eine neue Orientierung für das zwischenmenschliche Verhalten. Die Ordnungen dieser Welt und die Verhältnisse in dieser bösen Weltzeit werden auf diese Weise radikaler verändert, als es durch Gewalt zu erreichen wäre. Es geht im Grunde um nichts anderes als um die Überwindung der unbiblischen und der Botschaft Jesu widersprechenden Kategorie »Macht« durch das neue Prinzip der »Diakonie«. Das Wort von der »anderen Wange« weist zurück auf das Vorbild des leidenden und in seinem Leiden Sühne leistenden und erlösenden Gottesknecht (Jes 53,7: »Er ward mißhandelt und beugte sich und tat seinen Mund nicht auf wie ein Lamm, das zur Schlachtbank geführt wird, und wie ein Schaf, das vor seinen Scherern verstummt«). Dieses ist auch die Haltung Jesu in seiner Passion; er verzichtet bei der Gefangennahme auf den Widerstand (Mt 26,51-54) und setzt sich ohne Gegenwehr dem Spott und den Schlägen der römischen Soldaten aus (Mk 15,16-20 = Mt 27,27-31).

Die junge Kirche hat den gleichen Weg beschritten, als sie auf jede Form von Macht verzichtete und die Diakonie zu ihrem Ordnungsprinzip machte. Sie tat das in dem Bewußtsein, daß durch den Verzicht auf Rechte, Ansprüche, vor allem auf Gewalt, die Ordnungen in der Welt radikaler geändert werden als durch Zurückschlagen und Beharren auf Rechtspositionen.

Der zweite Teil des Logions (Lk 6,29), der dazu auffordert, dem Mantelräuber zusätzlich auch noch den Rock freiwillig zu geben, ist von der gleichen aufreizenden Schärfe. Es wird ja nicht nur der Verzicht auf Gegenwehr gefordert, sondern darüber hinaus die totale freiwillige Selbstpreisgabe. Durch die Hinnahme des gesteigerten Unrechts soll die Macht des Bösen gebrochen werden.

Es ist klar, daß hier die natürliche Ordnung vollends auf den Kopf gestellt wird. Als ethische Normen sind solche Forderungen natürlich sinnlos. Ihr Sinn liegt vielmehr in ihrer Zeichen- und Hinweisfunktion. Sie wollen auf drastische Weise auf eine neue Ordnung aufmerksam machen, die mit Jesus begonnen hat: An die Stelle von Macht, Gewalt, Selbstbehauptung und Rechtsstandpunkt tritt die Diakonie, die Gewaltlosigkeit, die Selbsthingabe und der Verzicht. Auf diese Weise erhält die allgemeine Norm der Liebe eine radikale Zuspitzung.

Diese Haltung erfährt in V. 35b eine letzte Begründung von Gottes eigener Gesinnung her: Gott selbst ist gütig gegen die Undankbaren und Bösen. Das eschatologische Verhalten Gottes verpflichtet auch heute. Was in den Augen der Welt sinnlos und unverständlich ist, entspricht genau dem eschatologischen Handeln Gottes im Endgericht. Der Christ darf und soll jetzt durch sein Verhalten den Mitmenschen die vergebende Gnade Gottes bezeugen, die er selbst im Endgericht für sich erhofft.

Schluß

Der Anspruch des »Unbedingten«, der sich im Ruf zur Nachfolge Ausdruck verschafft hat, und der »Nonkonformismus« in der ethischen Verkündigung sind in der Tat das typische Merkmal des Verhaltens Jesu. Solche »Fremdheiten« machen die Rückfrage nach der Person Jesu unumgänglich.

Das Verhalten Jesu läßt sich nicht einordnen in ein wie immer auch geartetes humanes Menschenbild oder in ein innerweltliches, vernünftiges und verstehbares ethisches System. Jesus fordert den Widerspruch heraus, und nicht umsonst ist das Wort »Skandalon« ein Zentralbegriff des Neuen Testaments. Das »Ich aber sage euch«, mit dem Jesus die Autorität des Moses außer Kraft setzt, ist ein Ärgernis. Die Radikalisierung der ethischen Forderungen und die Reduzierung auf das eine Prinzip der letzten totalen Liebe mit all den für einen normal denkenden Menschen völlig unannehmbaren Konsequenzen ist ärgerlich. Anstößig ist auch die bewußte Mißachtung der herkömmlichen konfessionellen Grenzen zwischen Juden und Samaritern. Unannehmbar sind die radikalen Nachfolgeworte, welche die natürlichen Lebensordnungen geradezu auf den Kopf stellen.

Dieses alles paßt nicht in das Denkschema eines humanen Ethikers, eines religiösen Genies oder eines gottbegnadeten Religionsstifters. Verständlich wird das nur unter Voraussetzung der absoluten Einmaligkeit und Einzigartigkeit dessen, der hier spricht. Der Nonkonformismus Jesu fordert geradezu eine hohe persönliche Autorität, ohne die ein solches Reden und Verhalten unsinnig wäre.

Aus diesem Grunde sind alle Jesusdeutungen, welche Sache und Person voneinander trennen, völlig unrealistisch.[1] Ein kurzer Blick

---

[1] Ein typisches Beispiel ist *Braun*, der den christologischen Funktionalismus auf die Spitze treibt. Für ihn gibt es keinerlei personale Autorität, sondern nur noch die Sache, die als solche Autorität hat oder auch nicht. Braun sagt: »Autorität lebt von dem Inhalt, den sie vertritt. Eine Begründung für sie außerhalb des von ihr vertretenen Inhaltes gibt es nicht. Ist die Autorität nicht kraft der von ihr vertretenen Inhalte vorhanden, so gibt es keine Gründe außerhalb ihrer, mittels deren sie aufgerichtet werden könnte. So verhielt es sich historisch auch mit der Autorität, die Jesus unter seinen Anhängern und Hörern gewann ...

auf die Sache Jesu, der so einseitig alle Autorität zugesprochen wird, kann hier hilfreich sein. Das, was für Jesus typisch ist, sind ja im Grunde lauter unvernünftige Dinge, gegen welche sich das normale menschliche Empfinden zur Wehr setzt. Um des Himmelreiches willen auf das Recht der Ehe verzichten, um Jesu willen Vater und Mutter verlassen, auf Reichtum und Ansehen vor den Menschen verzichten, also genau auf jene Dinge, die das Leben des normalen Menschen ausfüllen; die linke Wange noch hinhalten, wenn man einen Schlag auf die rechte bekommen hat, dieses alles stellt die Ordnungen der Welt schlicht und einfach auf den Kopf. *Eine solche Sache besitzt aus sich und durch sich keinerlei Autorität,* und sie hätte nicht die geringste Chance, ernstgenommen zu werden, wenn nicht eine außergewöhnliche Persönlichkeit mit ihrer besonderen Autorität dahinterstände. Die Sache Jesu eröffnet einen Zugang zur Person dessen, der eine solche Sache vertritt.

Bei den Überlegungen zu den Anfängen der Christologie ist deutlich geworden, daß Ostern sachlich und noetisch als Ausgangspunkt aller christologischen Reflexionen verstanden werden muß. Alle neutestamentlichen Dokumente lassen erkennen, daß mit Ostern ein neues und vertieftes Verstehen der Person Jesu eingesetzt hat. Jetzt erst begreifen sie richtig, wer er ist und was er bedeutet, und solches Verstehen hat seinen Ausdruck gefunden in Bekenntnissen und Namen.

Ostern ist trotzdem nicht im absoluten Sinne Anfang. Ostern hat vielmehr freigegeben, was implizit schon vorher vorhanden war. Solch christologisches Urgestein wird greifbar vor allem in den Worten Jesu, die von der frühen Gemeinde gesammelt worden sind, die aber auch einen vorösterlichen »Sitz im Leben« erkennen lassen. Die Worte Jesu, insbesondere jene harten, skandalösen Forderungen zur Nachfolge und der Rigorismus der ethischen Verkündigung, machen den Weg frei für ein vertieftes Verständnis der Person Jesu.

In dieser Weise kann Jesus auch heute dort, wo das zum Ausdruck kommt, was er will, Autorität werden. Er wird es nicht dadurch, daß man ihn anpreist. Es muß nur das, was er zu sagen hat und was sein Tun ausmacht, richtig zu Worte kommen« (Jesus 147f).

Und ein Letztes: Wer heute zu Jesus finden will, der wird sich über Chalzedon, Nizäa und auch über das Johannesevangelium und Paulus hinweg durchfragen müssen zu jener Gemeinde des Anfangs, zu jenen Männern, die in den ersten Anfängen gefragt haben: »Wer ist dieser?«. Er wird sich, wie jene es auch getan haben, der Sache Jesu stellen müssen, freilich der ganzen Sache Jesu und nicht nur den gefälligen Worten, die so leicht eingehen, sondern an erster Stelle jenem harten Nonkonformismus, der die einzige Chance ist für Kirche und Christentum heute.

Literaturverzeichnis

Althaus P., Das sogenannte Kerygma und der historische Jesus (BFChTh 48) Gütersloh ³1963.

Averdson T., Das Mysterium Christi, Uppsala 1937.

Balz H. R., Methodische Probleme der neutestamentlichen Christologie (WMANT 25) Neukirchen 1967.

Bauer W., Rechtgläubigkeit und Ketzerei im ältesten Christentum, hrsg. von G. Strecker (BHTh 10) Tübingen ²1964.

Bea A., Die Geschichtlichkeit der Evangelien, Paderborn 1966.

Betz, H. D., Lukian von Samosata und das Neue Testament. Religionsgeschichtliche und paränetische Parallelen (TU 76) Berlin 1961.

Benoit P., Leib, Haupt und Pleroma in den Gefangenschaftsbriefen, in: Exegese und Theologie, Düsseldorf 1965, 246-279.

Blank J., Paulus und Jesus. Eine theologische Grundlegung (StANT 18) München 1968.

Blinzler J., Aus der Welt und Umwelt des Neuen Testaments. Gesammelte Aufsätze 1, Stuttgart 1969.

Bornhäuser K., Empfänger und Verfasser des Briefes an die Hebräer, Gütersloh 1932.

Bornkamm G., Jesus von Nazareth (Urban-Bücher 19) Stuttgart ⁶1963.

Bousset W., Kyrios Christos. Geschichte des Christusglaubens von den Anfängen des Christentums bis Irenaeus, Göttingen ⁵1965.

— Die Religion des Judentums im späthellenistischen Zeitalter, hrsg. von H. Gressmann (HNT 21) Tübingen ³1926.

Braun H., Jesus. Der Mann aus Nazareth und seine Zeit (Themen der Theologie 1) Stuttgart—Berlin 1969.

— Spätjüdisch-häretischer und frühchristlicher Radikalismus. Jesus von Nazareth und die essenische Qumransekte I/II (BHTh 24) Tübingen ²1969.

Brox N., Das messianische Selbstverständnis des historischen Jesus, in: Vom Messias zum Christus, hrsg. von K. Schubert, Wien—Freiburg—Basel 1964, 165-201.

Bultmann R., Das Verhältnis der urchristlichen Christusbotschaft zum historischen Jesus, in: SAH 1960, 3. Abh., Heidelberg ³1962.

— Die Geschichte der synoptischen Tradition (FRLANT 29) Göttingen ⁶1964.

— Jesus, 19.—21. Tausend Tübingen 1958.

— Theologie des Neuen Testaments, Tübingen ⁴1961.

— Zur Frage der Christologie (Glauben und Verstehen I) Tübingen ⁵1964.

Burger C., Jesus als Davidssohn. Eine traditionsgeschichtliche Untersuchung (FRLANT 98) Göttingen 1970.

Buri F., Theologie der Existenz, in: Bartsch, H.-W. (Hrsg.), Kerygma und Mythos III, Hamburg ²1957, 81-91.

Charlot J., New Testament Disunity. Its Significance for Christianity Today, New York 1970.

Christ F., Jesus Sophia. Die Sophia-Christologie bei den Synoptikern (AThANT 57) Zürich 1970.

Conzelmann H., Die Mitte der Zeit. Studien zur Theologie des Lukas (BHTh 17) Tübingen ⁵1964.

— Historie und Theologie, in: Zur Bedeutung des Todes Jesu, hrsg. von *F. Viering*, Gütersloh ²1967, 35-53.

— Geschichte des Urchristentums (NTD Ergänzungsreihe 5) Göttingen 1969.

— Grundriß der Theologie des Neuen Testaments, München ²1968.

Cullmann O., Die Christologie des Neuen Testaments, Tübingen ³1963.

Dahl N. A., Der historische Jesus als geschichtswissenschaftliches und theologisches Problem, in: Kerygma und Dogma I, Göttingen 1955, 104-132.

Deichgräber R., Gotteshymnus und Christushymnus in der frühen Christenheit (Studien zur Umwelt des Neuen Testaments 5) Göttingen 1967.

Dibelius M. — Kümmel W. G., Jesus (Sammlung Göschen Bd. 1130) Berlin ³1960.

— Die Formgeschichte des Evangeliums, Tübingen ³1959.

Dinkler E., Jesu Wort vom Kreuztragen, in: Neutestamentliche Studien für Rudolf Bultmann (BZNW 21) Berlin ²1957, 110-129.

— Petrusbekenntnis und Satanswort, in: Zeit und Geschichte (Fschr. R. Bultmann) Tübingen 1964, 127-153.

Ebeling G., Theologie und Verkündigung. Ein Gespräch mit R. Bultmann, Tübingen ²1963.

Eisler R., Ἰησοῦς βασιλεῦς οὐ βασιλεύσας. Die messianische Unabhängigkeitsbewegung vom Auftreten Johannes des Täufers bis zum Untergang Jakobus des Gerechten, Heidelberg I 1929; II 1930.

Eltester F.-W., Eikon im Neuen Testament, Berlin 1958.

Ernst J., Pleroma und Pleroma Christi. Geschichte und Deutung eines Begriffs der paulinischen Antilegomena (Biblische Untersuchungen 5) Regensburg 1970.

Feine P., Theologie des Neuen Testaments, hrsg. von *K. Aland*, Berlin ⁸1951.

Feuillet A., Études johanniques, Paris 1962.

Fiebig P., Altjüdische Gleichnisse und die Gleichnisse Jesu, Tübingen 1904.

Fiedler P., Die Formel »und siehe« im Neuen Testament (StANT XX) München 1969.

Fitzmyer J. A., Die Wahrheit der Evangelien (SBS 1) Stuttgart ³1966.

Fuchs E., Hermeneutik, Bad Cannstatt ³1963.

— Zur Frage nach dem historischen Jesus, Tübingen ²1965.

Gabathuler H. J., Jesus Christus. Haupt der Kirche — Haupt der Welt (AThANT 45) Zürich–Stuttgart 1965.

Gnilka J., Der Philipperbrief (HThK X/3) Freiburg—Basel—Wien 1968.

— Jesus Christus nach den frühen Zeugnissen des Glaubens, München 1970.

Grundmann W., Das Evangelium nach Lukas (ThHK 3) Berlin ⁴1966.

Hahn F., Christologische Hoheitstitel. Ihre Geschichte im frühen Christentum (FRLANT 83) Göttingen ³1966.

— Die Nachfolge Jesu in vorösterlicher Zeit, in: Die Anfänge der Kirche im Neuen Testament (Evangelisches Forum 8) hrsg. von *P. Rieger*, Göttingen 1967, 7-36.

Hasler V., Amen. Redaktionsgeschichtliche Untersuchung zur Einführungsformel der Herrenworte »Wahrlich ich sage euch«, Zürich—Stuttgart 1969.

Hegermann H., Die Vorstellung vom Schöpfungsmittler im hellenistischen Judentum und Urchristentum (TU 82) Berlin 1961.

Hengel M., Die Zeloten. Untersuchungen zur jüdischen Freiheitsbewegung in der Zeit von Herodes I. bis 70 n. Chr., Leiden—Köln 1961.

— Nachfolge und Charisma (BZNW 34) Berlin 1968.

Hoffmann P., Anfänge der Theologie in der Logienquelle, in: Gestalt und Anspruch des Neuen Testaments, hrsg. von *J. Schreiner* und *G. Dautzenberg*, Würzburg 1969, 134-152.

Jaspers K., Wahrheit und Unheil der Bultmannschen Entmythologisierung, in: *Bartsch, H.-W.* (Hrsg.), Kerygma und Mythos III, Hamburg ²1957, 11-46.

Jeremias J., Die Abendmahlsworte Jesu, Göttingen ³1960.

— Die Gleichnisse Jesu, Göttingen (⁵1958) ⁷1965.

— Kennzeichen der ipsissima vox Jesu, in: Synoptische Studien für A. Wikenhauser, München 1953, 86-93; abgedruckt in: »Abba«. Studien zur neutestamentlichen Theologie und Zeitgeschichte, Göttingen 1966, 145-152.

— Neutestamentliche Theologie, 1. Teil: Verkündigung Jesu, Gütersloh 1971.

Jervell J., Imago Dei (FRLANT NF 58) Göttingen 1960.

Jülicher A., Die Gleichnisreden Jesu I u. II, Tübingen ³1910 (unveränderter fotomechanischer Nachdruck Darmstadt 1963).

Kähler M., Der sogenannte historische Jesus und der geschichtliche biblische Christus, hrsg. von *E. Wolf* (Theologische Bücherei 2) München ³1961.

Käsemann E., Exegetische Versuche und Besinnungen I, Göttingen ³1964.

Kehl N., Der Christushymnus im Kolosserbrief. Eine motivgeschichtliche Untersuchung zu Kol 1,12-20 (SBM 1) Stuttgart 1967.

Kramer W., Christos — Kyrios — Gottessohn. Untersuchungen zu Gebrauch und Bedeutung der christologischen Bezeichnungen bei Paulus und den vorpaulinischen Gemeinden (AThANT 44) Zürich—Stuttgart 1963.

164

Kümmel W. G., Die Theologie des Neuen Testaments (NTD Ergänzungs-reihe 3) Göttingen 1969.

Kuss O., Der Römerbrief. 2 Lieferungen (Röm 1,1-6,11 und 6,11-8,19), Regensburg 1957/1959, ²1963 (Nachdruck).

— Der Brief an die Hebräer (RNT 8) Regensburg 1966.

— Paulus / Die Rolle des Apostels in der theologischen Entwicklung der Urkirche, Regensburg 1971.

Lehmann M., Synoptische Quellenanalyse und die Frage nach dem histo-rischen Jesus (BZNW 38) Berlin 1970.

Lietzmann H., Messe und Herrenmahl (Arbeiten zur Kirchengeschichte 8) Berlin ³1955.

Lohmeyer E., Das Evangelium des Matthäus (Meyer K) Göttingen ³1962.

— Kyrios Jesus. Eine Untersuchung zu Phil. 2,5-11, Darmstadt 1961 (Erstmals erschienen: SAH 1927/28, A. Abh.).

Lohse E., Die Briefe an die Kolosser und an Philemon (Meyer K 9/2) Göttingen ¹⁴1968.

Lührmann D., Die Redaktion der Logienquelle (WMANT 33) Neu-kirchen 1969.

Manson T. W., The Teaching of Jesus, Cambridge ²1935.

Marxsen W., Anfangsprobleme der Christologie, Gütersloh ⁶1969.

— Einleitung in das Neue Testament, Gütersloh ³1964.

Michaelis W., Die Davidssohnschaft Jesu als historisches und kerygmati-sches Problem, in: Der historische Jesus und der kerygmatische Christus, hrsg. von *H. Ristow — K. Matthiae*, Berlin 1960, 317-330.

Mowinckel S., He That Cometh, Oxford 1956.

Mußner F., Aufgaben und Ziele der biblischen Hermeneutik, in: Was heißt Auslegung der Heiligen Schrift? hrsg. von *W. Joest — F. Mußner — L. Scheffczyk — A. Vögtle — U. Wilckens*, Regensburg 1966, 7-28.

— Der historische Jesus und der Christus des Glaubens: BZNF 1 (1957) 224-252.

— Christologische Homologese und evangelische Vita Jesu, in *Welte B.* (Hrsg.), Zur Frühgeschichte der Christologie (Quaestiones Disputatae 51) Freiburg-Basel-Wien 1970.

Neuhäusler E., Anspruch und Antwort Gottes, Düsseldorf 1962.

Neuner J. — Roos H., Der Glaube der Kirche in den Urkunden der Lehrverkündigung, hrsg. von *K. Rahner*, Regensburg ²1948.

Niederwimmer K., Jesus, Göttingen 1968.

Norden E., Agnostos Theos. Untersuchungen zur Formengeschichte reli-giöser Rede, Berlin 1913 (Neudruck Darmstadt 1956).

Pesch R., Jesu ureigene Taten? (Quaest. Disp. 52) Freiburg 1970.

Peterson E., Εἷς Θεός, Göttingen 1926.

Roloff J., Das Kerygma und der irdische Jesus. Historische Motive in den Jesus-Erzählungen der Evangelien, Göttingen 1970.

Schlier H., Besinnung auf das Neue Testament (Exegetische Aufsätze und Vorträge II) Freiburg — Basel — Wien 1964.

— Die Anfänge des christologischen Credo, in: Zur Frühgeschichte der Christologie (Quaestiones Disputatae 51) hrsg. von *B. Welte*, Freiburg —Basel—Wien 1970, 13-58.

Schmidt K. L., Der Rahmen der Geschichte Jesu, Berlin 1919 (unveränderter Nachdruck Darmstadt 1964).

Schnackenburg R. antwortet *Schierse F. J.*, Wer war Jesus von Nazareth?, Düsseldorf 1970.

Schnackenburg R., Christologie des Neuen Testamentes, in: Mysterium Salutis 3,1, Einsiedeln—Zürich—Köln 1970, 227-388.

— Die sittliche Botschaft des Neuen Testaments (Handbuch der Moraltheologie 6) München [2]1962.

— Kolosser 1,15-20. Die Aufnahme des Christushymnus durch den Verfasser des Kolosserbriefes, in: Evangelisch-Katholischer Kommentar zum Neuen Testament, Vorarbeiten Heft 1, Zürich—Einsiedeln—Köln—Neukirchen 1969, 33-50.

Schneider G., Die Frage nach Jesus Christus — Aussagen des Neuen Testaments, Essen 1971.

Schreiber J., Theologie des Vertrauens. Eine redaktionsgeschichtliche Untersuchung des Markusevangeliums, Hamburg 1967.

— Die Markuspassion. Wege zur Erforschung der Leidensgeschichte Jesu, Hamburg 1969.

Schürmann H., Die Sprache des Christus. Sprachliche Beobachtungen an den synoptischen Herrenworten: BZ 2 (1958) 54-84; abgedruckt in: Traditionsgeschichtliche Untersuchungen zu den synoptischen Evangelien, Düsseldorf 1968, 83-108.

— Die vorösterlichen Anfänge der Logientradition, in: Der historische Jesus und der kerygmatische Christus, hrsg. von *H. Ristow — K. Matthiae*, Berlin 1960, 342-370, abgedruckt in: Traditionsgeschichtliche Untersuchungen zu den synoptischen Evangelien, Düsseldorf 1968, 39-65.

Schulz A., Nachfolgen und Nachahmen. Studien über das Verhältnis der neutestamentlichen Jüngerschaft zur urchristlichen Vorbildethik (StANT 6) München 1962.

Schweizer E., Das Evangelium nach Markus (NTD 1) Göttingen 1967.

— Erniedrigung und Erhöhung bei Jesus und seinen Nachfolgern (AThANT 28) Zürich [2]1962.

— Die Kirche als Leib Christi in den paulinischen Antilegomena: ThLZ 86 (1961) 241-256 = Neotestamentica, Zürich—Stuttgart 1963, 293-316.

— Kolosser 1,15-20, in: Evangelisch-Katholischer Kommentar zum Neuen Testament, Vorarbeiten Heft 1, Zürich—Einsiedeln—Köln—Neukirchen 1969, 7-31.

Simon M., Die jüdischen Sekten zur Zeit Christi, Einsiedeln–Zürich–Köln 1964.

Spitta F., Streitfragen der Geschichte Jesu, Göttingen 1907.

Stauffer E., Die Theologie des Neuen Testaments, Gütersloh [4]1948.

— Jesus. Gestalt und Geschichte (Dalp-Taschenbücher 332) Bern 1957.

Strack H. L. — Billerbeck P., Kommentar zum Neuen Testament aus Talmud und Midrasch, 4 Bde., München [3]1961.

Taylor V., The Names of Jesus, London 1959.

Tödt H. E., Der Menschensohn in der synoptischen Überlieferung, Gütersloh [2]1963.

Thüsing W., Erhöhungsvorstellung und Parusieerwartung in der ältesten nachösterlichen Christologie (SBS 42) Stuttgart 1969.

Trilling W., Fragen zur Geschichtlichkeit Jesu, Düsseldorf [2]1967.

— Matthäus, das kirchliche Evangelium. Überlieferungsgeschichte und Theologie, in: Gestalt und Anspruch des Neuen Testaments, hrsg. von *J. Schreiner* und *G. Dautzenberg*, Würzburg 1969, 186-199.

Vielhauer Ph., Ein Weg zur neutestamentlichen Christologie? Prüfung der Thesen Ferdinand Hahns, in: Aufsätze zum Neuen Testament (Theologische Bücherei 31) München 1965, 141-198.

Vögtle A., Das Neue Testament und die neuere katholische Exegese, Freiburg–Basel–Wien 1966.

— Was heißt »Auslegung der Schrift?«, in: Was heißt Auslegung der Heiligen Schrift? hrsg. von *W. Joest, F. Mußner, L. Scheffczyk, A. Vögtle, U. Wilckens*, Regensburg 1966, 29-83.

Weiß B., Das Leben Jesu, I. u. II. Berlin [4]1902.

Weiss J., Das Urchristentum, Göttingen 1917.

Welte B. (Hrsg.), Zur Frühgeschichte der Christologie (Quaestiones Disputatae 51) Freiburg–Basel–Wien 1970.

Wilckens U., Jesusüberlieferung und Christuskerygma — Zwei Wege urchristlicher Überlieferungsgeschichte, in: Theologia Viatorum (Jahrbuch der Kirchlichen Hochschule Berlin 1965/66) Berlin 1966, 310-339.

Zahn Th., Grundriß der Geschichte des Lebens Jesu, Leipzig 1928.

Zimmermann H., Neutestamentliche Methodenlehre. Darstellung der historisch-kritischen Methode, Stuttgart 1967, [3]1970.

Autorenregister

Stellenregister

Römer
8,3   28
8,3f   29
8,11   59
8,14f   28
8,29   28.70
8,31f   71
8,32   28.29.50.59
9,4   28
10,9   56.59.60
12,4-8   70
14,11   60
15,9   60
15,21   50

1 Korinther
1,9   28
6,14   59
8,6   19.56.60
11,24   50
12,3   17.59
12,12-27   70
15,3   62
15,3ff   50.56.57.
          58.59.73
15,28   28
16,22   17.21

2 Korinther
1,3   56
1,19   28
3,17   18
4,14   59

2 Korinther
5,16   77
5,20   71

Galater
1,1   59
1,4   59
1,16   27.28
2,19f   29
2,20   28.59
3,13   74
4,4   28
4,4-7   28
4,5   28
4,6   28

Epheser
1,3   56
1,5   28
1,10   69
1,20   59
5,2   59
5,25   59

Philipper
2,6   62
2,6ff   29
2,6-11   56.62.63.64
2,6-12   50
2,7f   80
2,9   60.62
2,9ff   16
2,11   59.60

Kolosser
1,15-20   29.30.56.
              62.66
1,19f   71
1,24   139
2,9   70
2,12   59

1 Thessalonicher
1,9f   28
1,10   28.59

1 Timotheus
2,6   59

2 Timotheus
2,8   32.59

Titus
2,14   59

Hebräer
1,1-4   30
13,8   30

1 Petrus
1,3   56
1,21   59
2,21-25   50

Offenbarung
5,5   32
11,15   34
22,16   32

3. AUSSERBIBLISCHES

Baruch (syr)
3,32   26
70,6   133

4 Esdras
13   47

Henoch (aeth)
63,2   26
99,5   133

Jubiläen
23,16   133

Psalmen Salomos
17,18   32
17,23ff   32

Qumranschriften
1 QS IX,11   32
1 QSa II,20   32
4 QTest 14   32